UN ÉTRANGER
SUR LA ROUTE

Derniers romans parus dans la collection Nous Deux :

LE CAVALIER NOIR
  par Marcella THUM
MIRAGES D'ETE
  par Jill TATTERSALL
CHAGRIN MORTEL
  par Patricia POWER
LA DAME DU MANOIR
  par Rosalind LAKER
RUMEUR
  par Jean Francis WEBB
L'OISEAU REBELLE
  par Marjorie CURTIS
LA MAISON DU BANDIT
  par Estelle THOMPSON
INDOMPTABLE FELICITY
  par Sheila WALSH
LA CHAINE BRISEE
LA ROUTE DU NORD
  par Daoma WINSTON
POURSUITE A DELPHES
  par Janice M. BENNETT
JEUX DE SCENE
  par Jean URE
VOL SANS RETOUR
  par Patricia MOYES
MARS OU DECEMBRE
  par Marcella THUM
UNE GOUTTE DE SAPHIR
  par Constance MILBURN

A paraître prochainement :

APRES LA MOISSON
  par Lillie HOLLAND

Glenna FINLEY

UN ÉTRANGER
SUR LA ROUTE

(Kiss a Stranger)

LES EDITIONS MONDIALES
2, rue des Italiens — Paris-9ᵉ

ISBN N° 2-7074-1400-X

CHAPITRE PREMIER

Le vent violent qui rabattait la pluie sur la belle campagne du Somerset anglais décida de concentrer ses efforts sur une route proche de la ville de Bath.

Juste sous le déluge se trouvait une minuscule voiture britannique qui contenait une jolie Américaine dont l'humeur, à cet instant, était presque aussi détestable que l'atmosphère extérieure.

— Si tu prétends être une voiture, dit Carolyne Drummond, s'adressant au tableau de bord avec colère, tu devrais être pourvue d'un moteur qui tourne, et pas d'un engin qui commence à tousser au milieu d'une côte et qui cale en arrivant en haut !

Elle frappa le volant du poing pour donner plus d'énergie à ses paroles, et regarda le paysage ruisselant avec désespoir.

Le groupe de vaches noires et blanches était retourné à son déjeuner d'herbe après avoir levé la tête avec effroi quand la voiture s'était arrêtée quelques instants plus tôt tout près du pâturage. Une haie d'épines qui clôturait la prairie était aussi efficace pour garder Carolyne sur la route que pour garder les vaches dans leur enclos.

Il n'y avait pas la moindre maison en vue.

Carolyne abaissa la vitre de la voiture et tenta d'interroger directement une génisse à l'air pacifique.

— Tu ne saurais pas où il y a un téléphone, par hasard ?

La génisse releva la tête assez longtemps pour regarder son interlocutrice avec sévérité avant de reprendre son repas.

— Tant pis. Je... je ne pensais pas que tu le saurais. Merci tout de même.

Carolyne rentra la tête dans la voiture pour éviter que la pluie n'y pénétrât aussi. Avec un haussement d'épaules, elle releva la vitre. Tout ce qu'elle pouvait faire, c'était attendre le passage d'un automobiliste qui viendrait à son aide. Si elle descendait sur la route, elle ne ferait qu'ajouter une douche froide à une liste de calamités passées.

Elle entendit le son d'un moteur pesant sur la route derrière elle et son visage s'éclaira. Baissant de nouveau la vitre trempée elle se pencha au-dehors et fit de grands gestes enthousiastes au chauffeur d'un camion-citerne d'essence qui parvenait au sommet de la montée.

Un homme au visage maigre et solennel lui jeta un regard désapprobateur tandis que le camion passait lentement. Il ressemblait extraordinairement à la génisse.

— Hé là... ! Attendez ! clama Carolyne.

Elle essayait d'ouvrir la portière.

— J'ai besoin d'aide... Oh ! Bonté divine ! Ne pouvez-vous pas vous arrêter ?

Ces derniers mots s'adressaient à l'arrière du camion qui continuait sa route.

— Flûte ! dit Carolyne.

Elle rentra sa tête dans la voiture et remonta la vitre avec fureur.

— Aimable accueil pour les pauvres touristes ! grommela-t-elle. L'imbécile a dû croire que je voulais flirter avec lui !

Elle sentait l'eau qui lui coulait dans le cou et elle jeta un bref regard sur son reflet dans le rétroviseur. Les cheveux blonds qui frôlaient ses épaules, soigneusement roulés à l'intérieur en coiffure de page une heure plus tôt, quand elle avait quitté l'hôtel de Bath, pendaient maintenant en mèches détrempées, gouttant sous le col de son imperméable de nylon.

La pluie avait également lavé toute trace de poudre sur un nez mutin et de hautes pommettes. Par bonheur, ses cils et ses sourcils châtain foncé étaient un don venant d'un ancêtre celte et n'avaient pas été endommagés par les intempéries.

Pour l'instant, ils formaient un cadre remarquable à des yeux vert-mordoré, luisants d'indignation, qui la regardaient des profondeurs de la glace.

Pas étonnant que le conducteur du camion ne se soit pas arrêté : elle avait l'air d'une bohémienne à moitié noyée. Pourquoi diable n'avait-elle pas mis un foulard sur sa tête avant de se pencher au-dehors sous la pluie ?

Avec mélancolie, elle chercha un peigne et se mit en devoir de réparer les dommages. Dans sa présente situation, n'importe quelle activité la soutiendrait.

Un autre coup d'œil sur la route confirma le manque de circulation, automobile ou autre. Qu'arrivait-il aux Anglais ? se demanda-t-elle. A neuf heures du matin, il aurait dû y avoir un monde fou sur cette route !

Evidemment, si elle n'avait pas décidé de prendre un « itinéraire pittoresque », les forces de secours auraient peut-être été plus importantes. De toute évidence, peu de gens choisissent un itinéraire pittoresque sous la pluie battante.

Et combien d'êtres humains s'y engageraient en un froid dimanche matin de juin ? Il ne devait y avoir pour cela qu'une Américaine pourvue de plus d'enthousiasme que de sens commun.

« Voilà qui me décrit à merveille », décida Carolyne avec un haussement d'épaules.

Elle se carra confortablement sur son siège et appuya sa tête contre le dossier de cuir. A cette allure, elle n'arriverait jamais à destination...

Elle regarda la pluie ruisseler sur le pare-brise et laissa ses yeux se fermer. Si elle devait rester là longtemps, autant valait s'installer le mieux possible ! Son lit, la nuit précédente, devait être hérité du Roi Bladud, qui nourrissait ses cochons de glands au seizième siècle. Au cours de son règne, il avait certainement rempli certains matelas des hôtels de Bath de cupules de glands ou de coquilles de noix restées pour compte.

Carolyne sourit avec lassitude et glissa une épaule entre le dossier du siège et la portière. Après ce lit d'hôtel, elle avait besoin de revitalisant : un petit somme lui ferait peut-être du bien.

Plus tard, il fallut une série de coups étouffés près de son oreille pour la ramener sur la terre des vivants. Ses yeux s'ouvrirent pour voir une silhouette penchée qui cognait du poing sur la vitre de la voiture. Encore à moitié endormie, elle tâtonna pour trouver la manivelle et descendre la vitre d'un demi-pouce, non sans avoir constaté avec soulagement que la portière était fermée à clé.

— Que voulez-vous ? demanda-t-elle, du ton le plus hautain qu'elle put prendre.

— Pas ce à quoi vous pensez visiblement, répondit une voix dégoûtée et extrêmement américaine. Je me suis arrêté en voyant une plaque des U.S.A. sur votre voiture et j'ai pensé que vous aviez peut-être des ennuis.

Le ton brusque donnait à penser qu'il accomplissait un devoir nécessaire envers une compatriote, mais que, franchement, le cœur n'y était **pas.**

Ceci l'empêchait de ressembler au Bon Samaritain. Carolyne se redressa et descendit sa vitre un peu plus pour que son dédain fût plus visible.

— A la vérité, dit-elle en séparant les syllabes, il y a en effet un ennui sous le capot, mais il est inutile de vous en occuper.

— Cette raideur serait beaucoup plus impressionnante si l'accent du pays ne s'y glissait pas, déclara laconiquement l'inconnu. Est-ce la Virginie ou est-ce plus au sud?

— Caroline du nord, reconnut Carolyne, reprenant un ton normal. Depuis environ un million d'années.

De son mouchoir, il essuya l'eau qui ruisselait sur son cou.

— Pourrions-nous discuter de votre famille quand je serai à l'abri? demanda-t-il.

Carolyne lui jeta un regard méfiant.

— Le capot est là, dehors, dit-elle.

— La pluie aussi. Ecoutez, mademoiselle...?

— Drummond. Carolyne Drummond.

— Je m'appelle Michael Evans ou Mike et je travaille à Chicago. Je paie régulièrement mes impôts et je vote tous les quatre ans.

La pluie faisait onduler ses courts cheveux bruns.

— Je suis ici simplement en vacances, pour

voir le tennis à Wimbledon. Ma chère vieille mère habite le Michigan et elle m'a appris qu'on doit secourir les dames esseulées qui ont des ennuis de voiture. Je sais changer une roue ou contrôler les bougies dès que vous m'aurez dit ce qui s'est passé. A part cela, je ne m'intéresse aucunement à votre existence personnelle. En toute franchise, à l'heure actuelle, une charmante rousse me garde heureux et sans le sou. Enfin, je n'ai pas encore pris mon petit déjeuner et je ne fais jamais le bonheur de femmes sans défense quand j'ai l'estomac vide. Maintenant, voulez-vous un coup de main ou dois-je barrer votre nom de ma liste ?

Carolyne ouvrit la portière du côté du passager.

— Montez, je vous en prie, monsieur Evans.

— Merci.

Le mot de gratitude fut ponctué d'un éternuement impressionnant.

La vache la plus proche cessa de mâcher son herbe le temps de voir le personnage introduire ses larges épaules dans la petite voiture.

— Seigneur ! Quel climat ! dit-il après avoir claqué la portière. On se croirait en novembre plutôt qu'en juin.

*
**

La haute silhouette masculine insérée dans l'espace minime de la voiture donna à Carolyne l'impression d'être pratiquement assise sur ses genoux. Elle s'écarta du manteau de pluie ruisselant comme un chat maniaque évitant un trottoir mouillé.

— Il pleut toujours en juin en Angleterre ! dit-elle.

— Je sais.

Il remit son mouchoir dans sa poche et la regarda.

— On peut toujours rouspéter, déclara-t-il. C'est un droit qu'on achète avec son billet d'avion. Même les indigènes s'en plaignent. Seulement, eux disent que c'est un scandale ! Un véritable scandale !

Il riait. Carolyne s'étonna.

— Mais alors, pourquoi venez-vous ?

— Je vous l'ai dit : je voulais voir le tennis à Wimbledon.

— Vous avez fait tant de kilomètres pour un tournoi de tennis ?

— Nous avons tous nos manies, répliqua-t-il. Je ne bois pas exagérément et je ne fais pas la chasse aux touristes féminines.

Son regard parcourut la silhouette gracieusement incurvée de Carolyne distraitement mais avec approbation.

— A la longue, le tennis revient moins cher, conclut-il.

— Très drôle !

De nouveau, la jeune fille s'impatientait. Sans aucun doute, pensait-elle, Michael Evans, avec ses traits accentués et sa calme assurance n'avait pas à faire très longtemps la chasse aux femmes.

Sa mâchoire carrée proclamait la persévérance et elle avait déjà vu sa bouche ferme prendre une expression décidée. Elle intercepta un regard moqueur et son visage s'empourpra.

— Vous aviez parlé de réparer ma voiture ?

— En effet, dit-il en fouillant ses poches. Auriez-vous une cigarette ?

— Euh... oui.

Elle chercha dans son vaste sac à main. Naturellement, les cigarettes avaient glissé jusqu'au fond

et elle dut en tirer une boîte de mouchoirs, son passe-
port, une carte de crédit et un porte-monnaie avant
de le découvrir.

— Servez-vous, dit-elle.

— Merci.

Il se servit et lui rendit le paquet.

— Pourrais-je avoir une allumette aussi ?

Carolyne pêcha péniblement une boîte d'allumettes dans un coin du sac. Elle entendit son compagnon rire du bric à brac qui s'étalait sur ses genoux.

— Aimeriez-vous autre chose ? demanda-t-elle
d'une voix sucrée. Du chewing gum ? Des comprimés contre le mal de la route ?

— Des œufs et du jambon me conviendraient
très bien.

— Désolée, je n'en ai plus.

Elle le regarda allumer sa cigarette en économi-
sant ses gestes, et allonger ses jambes autant
que le lui permettaient les dimensions réduites de
la voiture. On aurait dit un Danois enfermé dans
un panier à chat, pensa-t-elle.

— Maintenant que je vous ai raconté ma vie,
c'est votre tour, dit Michael Evans. Que faites-vous
seule dans une voiture en panne au beau milieu de
la campagne anglaise ?

— En tout cas, je n'admire pas la vue ! J'en
avais l'intention au départ, mais cette maudite voiture ne collabore pas ! Il est sorti un nuage de
vapeur au milieu de la côte et après quelques sou-
pirs... Pouf ! Elle est morte !

— Il ne s'agit donc pas d'une panne sèche ou
d'un pneu crevé. Mais cela annonce des ennuis pour
un dimanche matin.

— Je ne comprends pas ?

— Ce doit être une courroie de ventilateur fichue.

— Est-ce tellement grave ? Ne pouvez-vous me ramener à Bath ? Je serais heureuse de vous régler le prix du trajet jusqu'au plus proche garage.

— Ne commencez pas à vous conduire de la manière qui fait détester les touristes américains, dit le jeune homme agacé.

Elle tendait la main vers son sac.

— Quel mal y a-t-il à offrir de vous payer votre temps et vos services ?

— Mieux vaudrait savoir auparavant s'ils sont à vendre.

Elle le regarda d'un air interrogateur.

— Eh bien ?

— Ils ne le sont pas.

— Merci beaucoup. Vous ne trouverez pas mauvais si je fais signe à un camion, dans ce cas ? En attendant, restez à l'abri, naturellement.

— Vous pouvez descendre de vos grands chevaux, dit Michael avec résignation. Je n'ai pas l'intention de vous laisser sur le bord de la route.

— Et quelle est votre intention ?

— Ce que je voulais vous faire remarquer tout à l'heure, c'est que même en retournant jusqu'à Londres, vous ne trouverez aucune pièce détachée pour l'intérieur de votre voiture aujourd'hui. Dimanche, c'est dimanche... surtout en Angleterre. Tous les mécaniciens de garages sont probablement en train de boire leur café du matin en se demandant ce qu'ils vont pouvoir faire par un dimanche pluvieux.

Il regarda tristement au-dehors.

— A leur place, je sais ce que je ferais.

Carolyne ne put refouler sa curiosité.

— Que feriez-vous ?

— Je me recoucherais ! dit-il avec un bâillement de tigre.

Carolyne pensa à son matelas de Bath et frémit.

— Pourrions-nous revenir au moteur de ma voiture ? dit-elle.

— Si vous insistez... Pourquoi faites-vous ce trajet ?

— Pas pour assister à un tournoi de tennis.

— Vacances ?

— Non.

— Un pèlerinage à vos ancêtres ?

— Bien sûr que non ! s'exclama la jeune fille indignée.

Il sourit et attendit qu'elle continuât :

— Je suis obligée d'aller au pays de Galles, dit-elle de mauvaise grâce, en principe pour acheter un château. C'est un peu difficile à expliquer... mais vous n'avez pas besoin de me regarder comme si je sortais d'une camisole de force ! Il s'agit d'un mini-château nommé Lyonsgate, sur la côte de la mer d'Irlande.

— Un endroit pour se reposer aux week-ends. C'est loin pour venir de Caroline du nord !

— Ne prenez pas ce ton supérieur !

La jeune fille se passa une main dans les cheveux.

— Ce château n'est pas pour moi. Seigneur ! Je n'aurais même pas de quoi en payer une porte ! Mais mon patron n'a pas de problèmes financiers. Vous avez probablement entendu parler des meubles Lyons ? Oui ? Eh bien, je travaille pour le vieil Henry Lyons qui a fait son premier million de dollars il y a si longtemps qu'il en a oublié l'époque. Quand il a su que le château de Lyonsgate était à vendre, il a décidé qu'il le voulait.

— En quoi cela vous concerne-t-il ?

— Liz Sheppard et moi sommes ses secrétaires. Il savait que nous projetions de prendre nos vacances par ici, alors il a décidé que nous pouvions aussi bien avoir des vacances utiles. Trois semaines de vacances payées après avoir passé huit jours au pays de Galles pour voir si le château est une bonne affaire. Il a dit qu'il nous croirait sur parole.

— N'êtes-vous pas un peu jeune pour prendre une telle décision ?

— J'ai vingt-cinq ans, dit Carolyne, piquée.

— Hummm... Vous avez plutôt l'air d'en avoir dix-neuf !

Il rit de la voir furieuse.

— Calmez-vous, dit-il. Quand on atteint mon grand âge de trente-cinq ans, on considère cela comme un compliment.

A son tour, Carolyne le regardait avec stupeur.

— Trente-cinq ans, vraiment ? Vous ne les portez pas !

— Je ne suis pas encore gâteux, vous savez !

— Je ne voulais pas dire ça !

Il ne se troubla pas.

— Etes-vous à court de temps pour cette mission ?

Carolyne hocha mélancoliquement la tête.

— Je devrais être à Lyonsgate demain. Liz a écrit au gardien et pris rendez-vous.

— Pourquoi Liz ne peut-elle vous remplacer ?

— Parce qu'elle est en Ecosse pour une autre mission.

Machinalement, Mike essuya le pare-brise devant lui.

— Un autre château ?

— Bien sûr que non ! grommela Carolyne. Il

doit y avoir une vente de tableaux et monsieur Lyons veut qu'elle monte quelques enchères. Elle doit me rejoindre à Lyonsgate au cours de la semaine. A ce moment-là, je devrais avoir une assez bonne idée de la question du château. Mais maintenant que cette sale voiture m'a lâchée...

Elle regarda l'Américain sérieusement.

— Etes-vous sûr que les garages ne travaillent pas le dimanche ?

— Pratiquement certain.

— Pensez-vous que je trouverais une voiture à louer ?

— Il n'y en aura pas plus que de mécaniciens.

— Vous n'avez pas besoin d'avoir l'air si satisfait ! s'exclama la jeune fille dépitée. Il doit tout de même y avoir des trains qui roulent, non ? Si vous pouviez me conduire jusqu'à une gare... A moins, naturellement, que vous n'ayez à faire du côté du pays de Galles ?

Mike la regarda d'un air pensif.

— Ma foi ! cela se pourrait, je suppose. J'ai quelques jours devant moi avant que le tournoi ne commence à Wimbledon.

Les yeux de Carolyne étincelèrent.

— Ce serait merveilleux ! Je serais heureuse de vous payer le prix que vous voudrez.

— Un peu de calme ! conseilla Michael. Vous me suppliez presque de vous saigner à blanc !

— Vous n'avez pas la tête à ça, dit Carolyne. De plus, monsieur Lyons est très généreux et quand il saura que vous m'avez secourue, il vous enverra un gros chèque.

— Nous verrons. Donnez-moi vos clés, je vais porter vos bagages dans ma voiture.

La jeune fille lui donna les clés. Il ouvrit la portière.

— Il y a seulement deux valises, dit-elle. Je vais prendre les guides et les cartes.

Mike regarda autour de lui.

— Très bien, dit-il enfin. Allez vite dans ma voiture. Je laisserai les clés dans la boîte à gants pour que le dépanneur les trouve.

— Hé là ! dit Carolyne. Ne feriez-vous pas mieux de jeter un coup d'œil sous le capot avant que je ne laisse la voiture au bord de la route ? Après tout, ce n'est peut-être rien de grave !

— Bon. Je vais voir, répondit Mike impatiemment. Allez vous installer dans ma voiture en attendant ! Je crois que nous avons contemplé ce paysage assez longtemps !

Carolyne fronça les sourcils : elle trouvait que Michael Evans était bien pressé de donner des ordres. Evidemment, il était autoritaire ! Elle rassembla les cartes routières tandis que le capot se relevait : après quelques instants, Michael se redressa et lui désigna, du pouce, sa voiture derrière eux. Avec un soupir, Carolyne se prépara au transfert, se demandant si elle n'avait pas agi un peu trop vite en lui faisant confiance ?

Après tout, que savait-elle de ce garçon ? Il était fanatique de tennis et il avait une amie aux cheveux roux en Amérique... Mais à part les vaches, il n'y avait personne d'autre que lui sur cette route et il n'y avait pas à hésiter entre un sauveteur bipède et une troupe de quadrupèdes indifférents...

Elle serra son imperméable autour d'elle, mit pied à terre, et galopa jusqu'à une grosse voiture bleue arrêtée sur le bas-côté du chemin.

*
* *

Le transbordement s'effectua en moins de temps qu'elle ne l'aurait cru possible. Quelques minutes plus tard, Mike regagnait la surface dure de la route et Carolyne jetait un regard attristé à sa pauvre voiture abandonnée.

— Ne vous faites pas de bile, dit Mike. Je téléphonerai de la première cabine que nous rencontrerons pour qu'un garage la ramène à Bath.

— Etait-ce bien le radiateur ?

— La courroie du ventilateur est en charpie, dit-il. Cela peut prendre un peu de temps pour en trouver une autre.

— Voilà ce que c'est qu'acheter une voiture étrangère ! soupira Carolyne.

Elle regarda l'intérieur bleu clair de la Vauxhall.

— Cette voiture n'est guère votre genre non plus, dit-elle.

— Non ? Quel est mon genre ? Bentley, Jaguar ou Morris Minor ?

— Je vous le dirai quand je l'aurai décidé. Surtout, notez le chiffre de votre compteur pour votre note de frais... Et si vous voulez vous reposer, je peux très bien vous relayer au volant.

Elle hésita un instant, puis ajouta :

— La conduite à gauche ne me gêne pas, mais il m'arrive de tourner plusieurs fois autour des carrefours à sens giratoire pour trouver la bonne sortie !

Il rit.

— Je me débrouillerai pour la conduite.

— Je ne suis pas si mauvaise...

— Je n'ai pas dit ça.

— Ce n'est pas ce que vous avez dit, mais vous avez fait la grimace ! déclara la jeune fille.

— Vous êtes trop susceptible : personne ne peut vous reprocher la détérioration d'une courroie de ventilateur. Vous avez de la chance d'avoir pu rouler jusqu'à Bath !

— Cela n'a rien de miraculeux, déclara Carolyne. Je suis venue de Londres en train. J'ai été chercher ma voiture à la gare hier.

Mike ralentit pour contourner l'un de ces carrefours à sens giratoire dont les routes anglaises sont parsemées pour augmenter leur sécurité.

— Mais c'est aussi dangereux que les carrefours, dit Carolyne. D'où venez-vous ? Je veux dire où étiez-vous avant Bath ?

— Ma dernière étape a été Hampton Court. Je voulais vérifier les dimensions du court de tennis des Tudor.

— Seigneur ! Pourquoi ?

— Je me demandais si les dimensions étaient réglementaires.

— Et vous n'avez pas regardé les tableaux ?

— Ecoutez... ! On dit que le roi Henry VIII jouait au tennis en 1536 pendant qu'on coupait la tête d'Anne Boleyn !

— Passionnant... Vous n'êtes même pas allé voir ces cuisines fantastiques ?

— Charles Ier a joué sur ces courts le jour où il s'est enfui.

— Et vous n'avez pas vu ce que Christopher Wren a ajouté au palais ?

— J'ai appris que le comte d'Essex a frappé

le Prince de Galles avec sa raquette vers 1630. Après avoir raté une balle, je pense.

— Je renonce ! dit Carolyne sèchement.

— Parfait. Je l'espérais.

Il jeta un regard amusé à la jeune fille.

— N'essayez pas de me convertir.

Carolyne secoua la tête.

— C'est fini. Somme toute, ce sont vos vacances. Je pense que visiter des courts de tennis n'est pas pire que visiter des cathédrales ou se promener dans des jardins !

Les rides du rire se creusèrent davantage autour des yeux de Mike.

— Vous êtes grande et généreuse. A tout prendre, les fanatiques de tennis sont moins dangereux que d'autres. J'étais sur un bateau plein de joueurs de bridge ; on a annoncé que Fidji était visible à bâbord : la femme à côté de moi n'a même pas levé les yeux. Elle a seulement dit « trois sans atout ».

— Les a-t-elle faits ? demanda Carolyne.

Elle rit de son air scandalisé.

— Ne vous fâchez pas, dit-elle. Je plaisantais.

— Moi aussi. Entre parenthèses, j'ai visité Hampton Court comme il faut voici quelques années. N'essayez donc pas de sauver mon âme.

— Votre âme ne me concerne pas ! dit la jeune fille d'un air hautain.

— C'est bien dommage. Cela viendra peut-être. Si vous pouviez regarder la carte et voir quand nous croiserons la M-4... Nous aurions déjà dû la rencontrer.

Après quelques minutes de recherches, Carolyne expliqua :

— Vous auriez dû tourner à droite au dernier

carrefour. Mais nous pourrons joindre la M-4 un peu plus loin.

Mike essuya le pare-brise embué du dos de sa main.

— Cette maudite pluie a l'air de devoir durer un mois, dit-il.

— Au moins ! J'aurais dû dire à monsieur Lyons que j'irais voir son château en août ! Pour le moment, attention à la route.

— Nous y sommes ! s'écria Mike joyeusement. Pays de Galles, nous voilà !

Carolyne se pencha en avant pour regarder à travers le pare-brise.

— Cela me rappelle ce roi anglais, dit Michael Evans.

— Quel roi anglais ?

— Ethelred le Malavisé. J'ai toujours trouvé ce nom formidable. Il est monté sur le trône en 978.

Carolyne ouvrit la bouche, puis la referma brusquement : son compagnon lui jetait un regard surpris.

— Il y a quelque chose qui cloche ? demanda-t-il.

— Je me le demande. D'abord, vous êtes un fanatique de tennis, et maintenant vous voilà érudit en histoire anglaise ! dit la jeune fille avec méfiance. Peut-être aurais-je dû rester sur la route, monsieur Evans !

— Je suis tout à fait inoffensif, je vous l'affirme, mademoiselle Drummond. Allons : détendez-vous et reposez-vous. Vous devriez faire un petit somme.

Elle obéit à contrecœur.

— Réveillez-moi quand nous arriverons au Pays de Galles, dit-elle.

— Vous préférez prendre la route directe ?

Elle ouvrit un œil.

— Incontestablement.

— Froussarde... !

— Pardi... !

Carolyne ferma les yeux. Après quelques instants, il se mit à fredonner doucement et elle se détendit, dans une brume de satisfaction. Michael Evans était exaspérant, mais il était singulièrement agréable de l'avoir à côté de soi.

CHAPITRE II

Quelque temps après, un léger coup de coude réveilla Carolyne : elle entendit Mike annoncer de sa plus belle voix de guide touristique :

— Nous approchons maintenant de Cymru, par le célèbre pont sur la Severn.

Elle garda les yeux résolument fermés.

— Trois sans atout, dit-elle.

— Pas de ça avec moi.

Le nouveau coup de coude ne fut pas doux.

— Redressez-vous et regardez !

— Inutile de me faire un bleu permanent ! grommela la jeune fille en obéissant. Que diable est Cymru ?

— Cymru, mademoiselle Drummond, est le mot gallois pour Pays de Galles. Et maintenant, admirez la vue, du pont, elle est magnifique.

Fascinée, Carolyne contempla un horizon de collines ondulées. Sous l'immense pont suspendu, le vaste estuaire de la Severn serpentait paresseusement vers la baie de Bridgewater pour aboutir au golfe de Bristol. L'eau coulait lentement en reflétant le ciel gris, mais rien n'aurait pu atténuer le vert éclatant du sol.

Des haies d'épines découpaient avec précision les pentes des collines parsemées d'arbres, des moutons et des bovins paissaient l'herbe épaisse des prairies. Vers le nord, un arc en ciel partiel coupait les nuages et touchait la terre près d'un bouquet de chênes vigoureux.

— On dirait un fil qui relie le ciel et la terre ! murmura Carolyne. Et la campagne est si belle que l'arc en ciel y est parfaitement à sa place.

— Je pensais bien que vous aimeriez ce paysage. Apparemment, les indigènes l'aiment aussi. Le pays a été annexé par l'Angleterre en 1536, mais ces gens sont des Celtes obstinés. Un peu plus haut, sur la frontière, il y a un fossé qu'ils ont appelé Offa's Dyke : il date du dix-huitième siècle et a été creusé pour séparer les Anglo-Saxons des Gallois. Le fossé est encore là aujourd'hui et personne, d'un côté ou de l'autre, n'a songé à le combler. Un grand nombre de Gallois nationalistes s'entêtent à parler leur ancien langage.

Carolyne gémit.

— Oh ! Seigneur ! Leur accent... ! J'ai déjà eu de la peine à comprendre l'anglais de Londres !

— Je sais. Et c'est réciproque ; j'ai dû demander mon chemin trois fois hier avant de trouver quelqu'un qui me comprenne... Attention !

Il fit une brusque embardée pour éviter une petite voiture qui passait devant eux.

— Au diable les chauffards ! Ils se ressemblent dans le monde entier !

Il reprit de la vitesse.

— Les deux grands jeux internationaux, reprit-il, sont : « le pare-choc enfoncé » et « le passage au feu rouge » !

— Cynique !

— Si vous voulez. Regardez vite la carte et voyez si nous prenons la prochaine sortie pour Chepstow.

— On dirait que c'est ça, dit la jeune fille après un instant. Qu'y a-t-il à Chepstow ?

— Le déjeuner.

Mike passa sur la voie lente pour quitter l'autoroute.

— Si vous en voulez davantage, le guide parle d'un château. Cela vous exercerait à inspecter la marchandise.

— Inutile de me parler de château ! dit Carolyne.

Elle fouilla dans son sac pour en tirer un peigne et un miroir.

— Je meurs de faim, dit-elle. Le petit déjeuner est loin.

— Il y a même une amélioration dans le temps : nous pourrons peut-être déjeuner sans nous faire tremper !

Le peigne s'arrêta près de l'oreille de la jeune fille.

— Pourquoi serions-nous trempés en déjeunant dans un restaurant ?

Mike contourna un carrefour à sens giratoire et s'engagea sur une route sinueuse avant de répondre.

— Nous ne déjeunons pas au restaurant. J'ai demandé un panier-repas à l'hôtel avant de quitter Bath. Il y a tout ce qu'il faut pour nous deux.

Il remarqua l'air dubitatif de Carolyne.

— Si vous préférez, je serai heureux de vous emmener au restaurant, ajouta-t-il. S'il y a un restaurant ouvert un dimanche. Entre les week-ends, les vacances et la fermeture des restaurants qui se fait de bonne heure dans les villages, on peut très

bien mourir de faim dans cette partie du monde. Et
en Irlande, c'est encore pire !

Carolyne remarquait les larges épaules de Mike.

— Vous n'avez pas l'air sur le point de mourir
d'inanition !

Il rit.

— Je connais la musique et je m'y prépare, dit-
il. Je me rappelle un train en Yougoslavie où nous
sommes restés vingt-quatre heures sans wagon-res-
taurant.

— Qu'avez-vous fait ? demanda la jeune fille,
intéressée malgré elle.

— Heureusement, il y avait une blonde dans
le compartiment et elle m'a sauvé la vie.

— Je croyais que vous aimiez mieux les rousses ?

— Pas quand la blonde possède un panier
plein de poulet, de fromage et de vin rouge !

— J'aurais dû m'en douter. Le langage ne vous
a-t-il pas gêné ?

— Pas spécialement.

Mike jeta un regard pétillant à la jeune fille.

— Elle travaillait à l'ambassade américaine à
Belgrade.

— Les hommes ! s'exclama Carolyne.

— Ne vous fâchez pas, dit-il paisiblement. Cette
fois, j'offre de partager mon déjeuner avec vous !
Cela devrait vous apaiser.

Carolyne passa le peigne dans ses cheveux avec
une telle énergie que les larmes lui montèrent aux
yeux. Naturellement, il avait raison : elle avait
tort d'être exaspérée, mais son calme imperturbable
était irritant. Il aurait fait perdre patience à n'importe quelle femme !

— Bon, dit-elle enfin. J'accepte avec reconnais-
sance.

— Mais c'est dur !

Il avait l'air de s'amuser. Carolyne protesta.

— Bien sûr que non. Parlez-moi de la rousse.

— Laquelle ?

— Celle qui fait votre bonheur et votre ruine.

— Ah... ! *Celle-là*... Vous voulez dire Gina ?
Carolyne referma son sac assez brutalement.

— Comment est-elle ?

Il réfléchit un moment.

— Magnifique ! dit-il enfin. Superbe. Vous savez, les Italiennes...

— Vous intéressez-vous aux mêmes choses ?

— Peut-être. Qu'importe ! Quand je suis avec
elle, je ne prends pas le temps de réfléchir. Un de
ces jours, je vous le promets, nous causerons !

— La vanité masculine me stupéfiera toujours !
dit Carolyne.

Elle prit un des guides et l'ouvrit.

— Cela ne vous ennuie pas si je me renseigne
sur Chepstow ?

— Pas du tout.

La jeune fille affecta de se plonger dans le guide
et ne releva la tête qu'au moment où la voiture
franchit une ancienne porte fortifiée qui donnait
accès à la ville. Ils suivirent lentement une rue
déserte.

— La peste soit..., grommela Mike.

— Qu'est-ce qui vous prend ?

— Tout 'est fermé. Juste ce que je craignais !

— Il est des choses plus intéressantes qu'un
endroit où déjeuner, fit observer Carolyne d'un air
supérieur. Vous feriez mieux d'admirer le château-
fort. Il a été construit, dit le guide, peu après la
conquête.

— Ecoutez, jeune hérisson ! dit Mike. Que nous

voyagions dans la même voiture ne m'oblige pas
à vous demander pardon chaque fois que vous
éternuez ! Je sais ce qu'il en est du château de
Chepstow et de son histoire, mais je voudrais
trouver un téléphone et un endroit où déjeuner
confortablement.

Carolyne rougit.

— Excusez-moi, dit-elle. Vous avez raison. Le
vieil Henry passe son temps à me remettre à ma
place.

— Tous les patrons font ça.

— En outre, je suis sa filleule, alors il se sent
plus libre !

— Pauvre Carolyne ! dit Mike, gentiment ironique.

Elle se demanda quand il avait décidé de l'appeler par son prénom.

— Je ne suis pas très malheureuse, dit-elle.
Pourquoi cherchez-vous un téléphone ?

— Pour appeler un garage à Bath. Pour votre
voiture. Vous vous en souvenez ?

— Bien sûr.

Un peu gênée, Carolyne passa ses doigts dans
ses cheveux.

— Il y a là un hôtel : il doit être ouvert le
dimanche.

— En effet.

Il indiqua des arbres plus loin sur la gauche.

— C'est le parc du château, dit-il. Je vais me
garer à côté et pendant que je téléphone, vous
pourrez chercher un endroit pour notre déjeuner.

— Vraiment ! dit la jeune fille acide, vous ne
pensez qu'à ça !

Il ne fit que sourire. Bientôt, il s'arrêtait dans

un espace réservé aux voitures, sous un orme touffu.

— Voilà qui est parfait. Et il n'y a presque personne, dit Carolyne. Chepstow ne doit pas être sur le programme des cars touristiques.

— Ne croyez pas ça ! dit Mike en descendant de l'auto. Ils ne tarderont pas à arriver. Avez-vous jamais vu un château-fort sans touristes ?

La jeune fille mit pied à terre à son tour et contempla le monument qui se dressait sur la colline.

— Je ne sais pas, dit-elle. Ce château-là m'a l'air assez mangé des mites.

— Vous le seriez aussi si vous étiez restée à la même place depuis la conquête des Normands, répliqua l'Américain. Je vais chercher ce téléphone. Cela ira pour vous ?

— Naturellement.

D'un geste, elle désigna une camionnette vide garée non loin de là.

— Il n'y a que les fantômes qui circulent aujourd'hui ! dit-elle.

— Détrompez-vous, dit Mike. Dès que nous aurons déballé notre déjeuner, les gens vont surgir de partout !

— Allez donner votre coup de téléphone. J'absorberai tous les détails culturels pendant votre absence.

— A condition que vous n'absorbiez pas...

— Les provisions ? Parole d'honneur, je n'y toucherai pas, mais c'est vraiment pour vous une idée fixe !

— Je ne pensais pas au déjeuner cette fois, rectifia Mike. Ne vous asseyez pas sur l'herbe, elle est trempée par la pluie.

Carolyne fit une révérence.

— Oui, monsieur, dit-elle docilement. Très bien, monsieur.

— Mon Dieu ! dit-il à demi sérieusement. Dans quoi me suis-je fourré ? Je ne reviendrai peut-être pas tout de suite, si le bar de l'hôtel est ouvert. Je commence à croire que j'ai besoin d'un fortifiant !

— D'accord, dit-elle aimablement. Mais si vous tardez trop, j'irai à votre recherche. Je regarderai tristement par la porte vitrée.

Les yeux de Mike brillèrent.

— Vous en seriez bien capable ! Ça va : je me dépêcherai. Ne vous sauvez pas avec le fantôme du château quand j'aurai le dos tourné.

Il retira son imperméable, le jeta sur la banquette arrière de la voiture et s'éloigna. Carolyne le suivit des yeux.

Avant de quitter l'auto, elle regarda le manteau de pluie. Elle n'avait pas les clés pour fermer les portières et elle pensa que le vêtement pouvait tenter un voleur : mieux valait le mettre sur le tapis, là où il serait moins en vue.

Elle prit le manteau pour le plier et aperçut la marque d'un magasin de luxe pour hommes à New York. Du reste, sa veste de sport était visiblement en cashmere : l'assurance de Michael Evans allait bien avec ses vêtements, mais le garçon n'était certainement pas le banal touriste amateur de tennis qu'il prétendait être. D'autre part, comment un individu modeste aurait-il pu changer ses projets pour faire un voyage imprévu de plusieurs centaines de kilomètres ?

Elle était prête à parier qu'il s'était intérieurement moqué d'elle quand elle avait parlé de payer ses services et la location de sa voiture !

Elle plia soigneusement l'imperméable et le déposa au pied de la banquette, puis elle considéra le sien, froissé et chiffonné. Ce n'était pas dans cette tenue qu'elle attirerait l'attention d'un homme, même s'il n'y avait pas de belle Italienne rousse à l'attendre dans son pays natal. Elle tenta vainement d'effacer en la frottant une tache de graisse, puis elle remit bien en place sa jupe de jersey chartreuse. Jupe et veste assortie étaient garanties infroissables et tenaient leur promesse, mais elles ressemblaient fâcheusement à un costume de gymnastique.

Carolyne n'avait pas eu le temps de faire des emplettes à Londres et elle le regrettait amèrement. Il aurait été si agréable d'être d'une provocante élégance et non pas terne et correcte...

Elle se secoua mentalement, sortit de la voiture et claqua la portière. La seule chose à faire était de gagner le plus vite possible le château de Lyonsgate, de rédiger un chèque au nom de Michael Evans et d'envoyer calmement promener ce dernier.

« Et surtout, penses-y ! » se dit-elle sévèrement.

Un peu de vent agita les feuilles, et levant la tête, la jeune fille aperçut, entre les nuages gris, un pan de ciel bleu. Le déjeuner en plein air serait peut-être possible, finalement.

Elle prit le guide et y chercha Chepstow : si elle lisait l'histoire du vieux château, la visite en serait plus intéressante. Elle était plongée dans les détails d'un siège en 1645 quand elle entendit un bruit métallique, puis une série de jurons dans une langue étrangère. Elle leva les yeux pour voir un homme trapu, coiffé d'une vieille casquette, qui s'acharnait avec colère sur la serrure de la camionnette garée près de la voiture de Mike.

La portière s'ouvrit enfin et Carolyne revenait

à sa lecture quand elle vit un morceau de papier qui tombait par terre pendant que l'homme prenait place derrière le volant.

Elle attendit un instant, puis, sans enthousiasme, elle alla ramasser le papier pour le rendre au chauffeur de la camionnette. Celui-ci mettait le moteur en route et ne vit la jeune fille qu'au moment où leurs regards se croisèrent dans le rétroviseur d'aile. Le sourire affable de Carolyne s'effaça devant l'expression malveillante des yeux de l'homme qui faisait impatiemment ronfler le moteur.

— Un instant..., ceci vous appartient ! dit-elle, s'approchant vivement de la camionnette.

Elle agitait le papier et s'attendait à ce que la portière s'ouvre, mais tout à coup, le moteur ronfla plus fort et le véhicule démarra.

— Hé là ! cria Carolyne. Vous oubliez... Oh ! Attention !

Sa voix devint un cri de douleur : l'arrière de la voiture heurtait sa cuisse et sa hanche, la jetant par terre comme elle essayait de s'écarter du chemin.

Elle aperçut vaguement le visage dur du chauffeur et un homme aux cheveux gris assis à côté de lui avant que la camionnette ne gagne rapidement la rue et disparaisse dans un brouillard d'humidité boueuse.

Le choc brutal et la douleur gardèrent la jeune fille immobile une minute. Elle se relevait péniblement quand Michael, revenant, la vit. Il fit au galop la distance qui les séparait encore.

— Seigneur Dieu, Carolyne, que s'est-il passé ? Vous n'avez pas de mal ?

Avec effarement, Mike regardait le manteau souillé de boue et le bas déchiré taché de sang. Il la soutint, la portant à moitié, jusqu'à sa voiture où il la fit doucement asseoir. Voyant ses joues blêmes, il lui fit courber la tête jusqu'à ses genoux.

— Ne vous évanouissez pas ! dit-il.

En une ou deux minutes, Carolyne sentit que le monde redevenait stable autour d'elle. Elle se redressa prudemment et s'appuya contre le dossier.

— Pourquoi ne m'évanouirais-je pas ? demandat-elle avec une nuance d'ironie. Les médecins anglais ne travaillent-ils pas le dimanche, eux non plus ?

— Nous le saurons bientôt.

— Non, monsieur Evans... Mike..., je vous en prie. Sauf que mon bas est fichu, je vais très bien. J'ai peut-être quelques bleus...

— Plus que cela ! dit-il, désignant le sang sur sa jambe.

— Une simple écorchure là où le pare-choc m'a heurtée. J'ai seulement besoin de me laver et de me changer.

— Je pense que ce sera possible à l'hôtel, dit Mike.

— Oui, certainement. Allons-y.

Elle voulut descendre de la voiture : il la repoussa.

— Restez tranquille. Et d'abord, dites-moi comment vous vous êtes battue avec cette camionnette !

— Une histoire incroyable.

Elle avait toujours le papier à la main. Elle l'étala sur ses genoux.

— Voilà le vrai coupable, dit-elle.

— Qu'est-ce que c'est ?

— Je ne sais pas. Ce papier est tombé quand le conducteur de la camionnette est monté dans sa machine. J'ai pensé que c'était peut-être important, alors j'ai voulu le lui rendre. Je me suis approchée... Bonté divine ! Vous auriez cru que j'avais à la main une grenade offensive ! Il m'a jeté un regard mauvais et est parti à toute allure ! Heureusement que je n'étais pas devant les roues ! Je suis sûre qu'il aurait réagi exactement de la même façon !

— Bon. C'est fini. Voyons ce papier.

— Regardez-le, vous, dit Carolyne. Mes mains tremblent.

Mike prit docilement la feuille et la regarda.

— Du fromage ! dit-il. Ce n'est qu'une facture pour du fromage !

— Du fromage ?

— Oui. L'en-tête de la lettre indique l'agence de Londres de « l'Alimentation Wellington et Cie ». Ils facturent six caisses de fromage de Nouvelle-Zélande. C'est drôle... il n'y a pas le nom du destinataire !

— Drôle, oui. Pourquoi quelqu'un m'aurait-il bousculée à cause de ce papier ?

— Je ne comprends pas. Y avait-il un nom sur la camionnette ?

— Rien du tout, j'en suis sûre. Rappelez-vous... Elle était plutôt minable. Et son chauffeur n'était pas en uniforme de livreur.

Elle secoua la tête avec indignation.

— Penser que j'ai failli être écrasée par un chargement de fromage !

— Si cela peut vous réconforter, le cheddar de Nouvelle-Zélande est très apprécié, dit Mike. Poussez-vous pour que je puisse fermer la portière. Je vous emmène à l'hôtel.

Il se glissa derrière le volant et lança le moteur.

— Pendant que vous vous changerez, j'essaierai

d'appeler la Compagnie Wellington pour savoir pourquoi leurs employés hantent la campagne galloise.
Vous..., vous n'avez pas pris le numéro de la camionnette, par hasard ?

— Non, je n'y ai pas pensé. Et je n'en connais
même pas la marque. Inutile, je pense, d'avertir la
police.

— Je crois en effet, oui... Vous êtes sûre que
vous voudrez continuer le voyage quand vous vous
serez changée ?

— Sincèrement, quand je serai propre, tout ira
bien. Donnez-moi ma petite valise et je serai prête
pour déjeuner dans un quart d'heure : je pense que
vous serez content ?

Pour une fois, il ne se rebiffa pas.

— Croyez-le ou non, dit-il, j'ai perdu l'appétit.

— Voyons, c'est idiot ! C'est moi qui ai l'accident et c'est vous qui souffrez du choc !

Mike sourit à demi.

— Vous redevenez vous-même vraiment très
vite, dit-il.

La voiture s'arrêta devant un bâtiment assez
modeste.

— Allons demander où vous pouvez vous laver
la figure, dit l'Américain.

Une demi-heure plus tard, une Carolyne très
différente reparut, vêtue d'un pantalon vert foncé
et d'une jaquette rayée.

— Le pantalon cachera les cicatrices du combat,
dit-elle. Comme cela, je ne vous ferai pas honte.

— Je ne m'inquiétais pas. Marcher vous fait-il
mal ?

— A peine. Où pique-niquons-nous ?

— Où il vous plaira, mais nous ferions bien de rester dans la voiture, des sièges rembourrés sont peut-être préférables.

Il remit la valise dans le coffre. La jeune fille s'assit sur le siège. Mike reprit sa place au volant.

— Cherchons un autre paysage, dit Carolyne. Franchement, j'aime autant oublier le château de Chepstow.

Ils trouvèrent un endroit agréable où manger leurs sandwiches.

— Je n'ai pas obtenu de réponse des marchands de fromage, dit Mike. Je rappellerai de Swansea demain.

— Cela ne changera rien à la situation...

— Je sais, mais je peux toujours faire un essai. En revanche, j'ai demandé qu'on aille chercher votre voiture de Bath. J'ai le nom et l'adresse du garage : ils feront la réparation et garderont la voiture jusqu'à ce que vous veniez la chercher.

— Parfait. Il n'y a pas de café dans votre panier-repas ?

— Non. Nous ne tournons qu'à la bière de gingembre, dit l'Américain en souriant. Nous nous arrêterons dans un bistrot sur la route pour boire quelque chose de chaud.

— Très bien. Il ne faudra peut-être pas perdre trop de temps si nous voulons atteindre Swansea avant la nuit. Est-ce là que nous nous arrêtons ?

— Oui. L'employé de l'hôtel m'a dit qu'il y a un bon hôtel. J'espère que vous aurez droit à un matelas à ressorts cette nuit, même si cela vous prive des charmes de l'ancien temps !

— Quelle horreur ! J'en ai assez des matelas de noyaux de pêches dans des chambres non chauffées.

Espérons un chauffage central... de l'eau chaude au robinet...

— Une pile de serviettes de toilette...

— Et une lampe de chevet qui éclaire.

— Vous êtes optimiste, dit Mike.

— Je touche du bois, dit Carolyne.

Le soir tombait quand ils entrèrent en ville. Les lumières s'allumaient aux fenêtres. Mike s'arrêta devant un imposant bâtiment moderne.

— Voilà notre hôtel, dit-il.

— Il n'a pas l'air mal. On dirait que nous avons de la chance !

Un portier en uniforme sortit pour les accueillir.

— Bonsoir, monsieur, dit-il. Voulez-vous que j'emmène votre voiture au parking ?

— Plus tard, répondit l'Américain. Je voudrais en retirer les bagages.

— Aviez-vous l'intention de passer la nuit avec nous ? demanda aimablement le portier.

Fascinée, Carolyne appréciait les termes de la question.

— Oui, bien sûr, dit Mike. Y a-t-il des difficultés ?

Le portier se gratta la tête.

— Nous avons pas mal de monde ce soir, dit-il. Il vaudrait mieux que vous vous adressiez au bureau avant que je ne transporte les bagages.

— Certainement, dit Mike.

Il se pencha vers Carolyne en murmurant :

— Continuez à toucher du bois !

— Soyez tranquille. Dites-leur que nous prendrons n'importe quoi, quand ce ne serait que deux placards à balais !

L'Américain sourit et entra dans le hall de l'hôtel.

Il ne reparut qu'après un assez long moment.
En l'attendant, la jeune fille s'aperçut qu'elle avait
mal partout, dans tous ses muscles sans exception.
Ce serait merveilleux de se plonger dans un bain
chaud, pensa-t-elle. Elle en rêvait quand Mike
revint. Il fit un signe au portier.

Carolyne passa la tête à la portière.

— Avons-nous de la chance ?

— Oui.

Il agita une clé pour la rassurer, puis donna ses
instructions au portier. Carolyne mit pied à terre
et attendit près de la porte. Mike vint lui prendre
le bras et l'entraîna dans l'hôtel.

— Vous êtes formidable ! dit-elle Ç'aurait été
le coup de grâce s'ils n'avaient pas eu de chambre.

Mike s'arrêta devant l'ascenseur et poussa le
bouton d'appel.

— Le coup de grâce est pour tout à l'heure.
dit-il.

— Oh... ! Allez-y doucement ! Les placards à
balais sont-ils situés juste au-dessus du juke-box ?

— Ils étaient à court de placards à balais.

L'Américain ouvrit la porte de l'ascenseur et
invita Carolyne à y entrer.

— Mais, dit-elle, vous avez une clé !... Mon
Dieu, *une* clé !

Il hocha la tête et poussa le bouton de leur
étage.

— Restez calme. Nous aurons beaucoup de
place et l'employé m'a promis que nous ne serions
pas dérangés.

Carolyne ne quittait pas des yeux la clé unique.

— Bon, dit-elle enfin. Quel genre de chambre
est-ce ?

— Ce qu'il y a de mieux dans l'établissement.

— Magnifique ! Et encore ?

L'ascenseur s'arrêta avec un soubresaut. Michel ouvrit la porte.

— L'un des bienfaits des voyages, dit-il, c'est qu'ils élargissent vos connaissances. Nous passerons cette nuit, mademoiselle Drummond, dans l'appartement des nouveaux mariés.

Il rit tandis qu'elle restait bouche bée d'horreur.

— Attention à la marche, dit-il, ou je serai obligé de vous porter pour franchir le seuil.

CHAPITRE III

Après le choc initial, Carolyne découvrit que sa nuit dans l'appartement réservé aux jeunes mariés aurait reçu l'approbation d'une troupe de chanoinesses.

Michael avait expliqué la situation tout en ouvrant la porte.

— L'hôtel comprend ce qui nous arrive, commença-t-il.

— Quelle chance ! riposta Carolyne, sarcastique. Peut-être pourra-t-on ici me le faire comprendre. Ce genre d'aventure n'est pas recommandé dans ma ville natale.

— Nous n'avons pas de prédilection pour les orgies dans la mienne, répliqua l'Américain en ouvrant la porte. Il ne s'agit pas de cela ici. L'employé affirme qu'il y a un verrou à la porte de la chambre à coucher.

Il s'effaça pour laisser entrer Carolyne dans un élégant salon, et de là, passa dans une chambre où l'on voyait un immense lit drapé d'une courtepointe de satin. Une autre porte donnait dans une salle de bains vert et or.

— Nous prendrons la salle de bains tour à tour,

dit Mike avec entrain. Ensuite, vous fermerez la porte de la chambre et je dormirai sur le divan du salon.

— Euh... je pense que ça ira, dit Carolyne.

— L'employé de la réception m'a dit aussi qu'il n'y a certainement pas une seule chambre libre dans toute la ville. Nous pourrions chercher chez l'habitant...

— Non, merci, restons ici, répliqua la jeune fille. Au fait... sous quel nom avez-vous arrêté cet appartement ?

— Je n'ai pas commis l'incorrection que vous supposez ! déclara Mike d'un ton digne. J'ai donné nos noms respectifs et l'employé a noté deux numéros de chambres différents. Ils doivent faire cela quand ils n'ont plus de place.

Il s'éclaircit la gorge.

— Euh... j'ai dit que nous étions cousins.

La jeune fille fronça les sourcils. Il ajouta précipitamment :

— Je n'ai pas précisé le degré de parenté.

— C'est plein de délicatesse.

— Ecoutez... !

Mike parvenait aux limites de la patience.

— Essayez un jour d'obtenir dans un hôtel anglais l'appartement des nouveaux mariés... Vous aurez peut-être de meilleures idées !

Carolyne consentit à sourire en se laissant tomber sur le vaste divan. Mike s'assit sur le bras d'un fauteuil.

— Dès qu'on nous aura monté nos bagages et de quoi faire ce lit, nous pourrons descendre à la salle à manger ; les hôtels de province ne servent pas de repas tardifs.

— Seigneur, oui ! Ne ratons pas le dîner ! Le

pique-nique remonte à un siècle ! Je vais m'astiquer un peu.

Carolyne se leva avec quelque peine et Mike la regarda boiter en direction de la salle de bains.

— Je pourrais peut-être nous faire monter à dîner ici ? suggéra-t-il. Si cela ne vous dit rien de descendre...

Elle secoua la tête.

— Je vous en prie ! Ce sera l'événement de la journée !

D'un geste, la jeune fille désigna une vaste fenêtre par laquelle on avait une vue étendue sur la ville.

— Le dimanche soir à Swansea me paraît plutôt calme ! dit-elle.

— Il y a toujours le programme de la BBC, riposta Mike en montrant du geste un téléviseur dans un coin du salon.

— J'ai peine à contenir mon impatience ! Tout au moins, l'appareil a l'air battant neuf.

— Pourquoi servirait-il ? demanda Mike avec une grimace amusée. Dans cet appartement-ci, veux-je dire.

Carolyne rougit et se hâta vers la salle de bains.

La soirée se déroula comme prévu. A la fin du programme de télévision, un récital de poésies qui les fit bâiller tous les deux, Carolyne prépara le lit sur le divan pendant que Mike occupait la salle de bains. Ensuite, elle se prépara à se coucher, ayant remarqué qu'il n'y avait ni serrure ni verrou à la porte de la chambre, en dépit des affirmations de Mike. Puis elle se rappela le raide formalisme avec lequel il lui avait souhaité une bonne nuit et elle grimaça un sourire.

Il n'aurait pu lui faire comprendre plus clairement qu'il préférait une rousse absente et italienne à une Américaine blonde et presque morte de fatigue.

Sans aucune raison, elle prit un air indigné. Il était également inutile de bourrer son oreiller de coups de poings pour le mettre dans la position qu'elle souhaitait.

Et même lorsqu'elle l'eut arrangé à sa convenance, elle dut attendre longtemps avant de s'endormir dans l'immense lit de la chambre silencieuse.

Elle fut réveillée le lendemain matin par la sonnerie du téléphone, près de sa tête. Une joyeuse voix galloise lui annonça qu'il était huit heures et lui souhaita le bonjour.

Comme elle remettait le récepteur à sa place en tâtonnant, elle entendit frapper à la porte.

— Entrez ! dit-elle avec humeur.

En raccrochant le téléphone, elle avait fait tomber un cendrier et se penchant hors du lit, elle le chercha.

— Bonjour ! dit gaiement Mike. Que faites-vous la tête en bas ?

Elle releva son visage cramoisi.

— J'ai l'habitude de commencer la journée en marchant sur la tête ! dit-elle.

— Consentiriez-vous à commencer celle-ci dans un quart d'heure ? Le petit déjeuner arrivera à ce moment-là. Je voudrais me raser auparavant si cela vous agrée.

— Je vous en prie, dit-elle.

Elle tira son drap jusqu'à son menton, regrettant de ne pouvoir s'en couvrir la tête. Si elle avait eu l'ombre de sens commun, elle se serait coiffée avant de recevoir une visite.

Même non rasé, Mike avait l'air net et serein avec une robe de chambre bleu marine qui recouvrait un pyjama bleu plus clair. Ses cheveux bruns étaient parfaitement lissés.

Pendant qu'ils déjeunaient, Carolyne demanda s'ils pouvaient rester un peu de temps à Swansea avant de partir pour Lyonsgate.

— Je voudrais aller chez le coiffeur, dit-elle. Après la pluie d'hier, mes cheveux ont vraiment besoin d'une mise en plis.

Mike jeta un coup d'œil sur les cheveux de la jeune fille dont les douces mèches blondes étaient retenues sur la nuque par un ruban bleu.

— Je ne vois pas que ce soit très nécessaire, dit-il, mais nous pouvons très bien prendre ce temps. Nous arriverons en quatre heures sans nous presser.

Il but son café avant de dire en s'adressant au journal étalé devant lui :

— Vous devriez voir un médecin plutôt qu'un coiffeur. J'ai remarqué que vous boitez encore.

— Non. Je suis en pleine forme.

— Vous êtes une créature obstinée, dit-il d'un ton détaché.

— Résolue est le terme poli, dit Carolyne.

En prenant le pot de marmelade, elle remarqua qu'il avait autour des yeux de petites rides qui n'y étaient pas la veille.

— Vous n'avez pas l'air tellement fringant vous-même ! dit-elle. Qu'y a-t-il ? Le divan n'était-il pas confortable ?

Mike tourna une page du journal.

— Il était parfait, merci, dit-il du ton bref par lequel on indique la volonté de clore le sujet.

— Nous aurions dû changer de place ! insista la jeune fille. Ce divan était trop court pour vous, c'était visible.

— Il était très bien, dit Mike, cette fois sans cacher son irritation. Y a-t-il encore du café dans la cafetière ?

— Oui, dit Carolyne.

Elle remplit la tasse de Mike.

— Etes-vous furieux aussi contre le café ?

— Je ne suis pas furieux ! riposta-t-il avec indignation.

Il s'interrompit d'un air penaud.

— Excusez-moi. Je ne suis jamais au mieux de ma forme à cette heure de la journée. Généralement, cela ne gêne personne.

Ce qui signifiait, décida Carolyne, que ses relations avec la belle Gina n'étaient pas aussi torrides qu'elle le croyait. Elle regarda Michael, sans gêne car il s'était replongé dans le journal. Ce qui n'était pas très flatteur, se dit-elle.

— Alors, ça va si nous prenons la matinée de liberté ? insista-t-elle.

— Hu... hum..., grommela-t-il sans lever les yeux.

Elle fronça les sourcils et continua gaiement :

— Pourrais-je monter tout en haut d'un haut immeuble ?

— Hu... hum...

— Et me jeter dans le vide ?

— Tout ce que vous voudrez, grommela Mike distraitement.

En face de lui, la chaise râcla violemment le sol. Il leva les yeux pour voir Carolyne disparaître par la porte de la chambre en la claquant derrière elle.

Un instant, il fixa la porte, puis ses lèvres se tordirent en une grimace difficile à interpréter.

Il n'y eut pas de nouvelle altercation ce matin-là. Carolyne alla chez le coiffeur et revint coiffée, à son avis, de manière à mieux impressionner le sexe masculin en général, et l'un de ses représentants peut-être en particulier.

Elle avait décidé de changer également d'attitude : coiffée comme elle l'était, elle pouvait se montrer plus douce et plus féminine.

Quand elle rencontra Mike dans le parc, à midi, elle attendit anxieusement sa réaction. Elle vint aussitôt. Il se leva du banc où il était assis au pâle soleil et la regarda d'un air approbateur.

— Très bien. J'aime beaucoup cette frange.

Carolyne rougit.

— Merci. Je vois que vous avez trouvé mon mot ?

— Oui. Le gars de la réception me l'a donné comme je revenais de mettre les bagages dans la voiture.

Sa bouche se releva vers les coins.

— Avez-vous d'autres instructions écrites ou recommençons-nous à nous parler ?

— Nous n'avons pas officiellement cessé de nous parler. Disons que le petit déjeuner a été une interruption accidentelle de nos communications.

Mike demeura prudemment silencieux. Elle reprit :

— Comme nous avons un moment avant les journaux de midi...

— Profitons-en, dit l'Américain en lui prenant le bras. Je déjeunerais volontiers.

Sur le chemin de l'hôtel, ils passèrent devant une boutique d'antiquités : Carolyne s'arrêta pour regarder une cuillère de bois grossièrement sculptée.

— Je me demande ce que c'est que ça ? dit-elle. Ne me répondez pas que c'est une cuillère !

— Cela ne m'est pas venu à l'idée, dit Mike d'un air compassé. Nous n'en saurons rien si nous ne le demandons pas.

Une clochette de cuivre, en haut de la porte du magasin, annonça leur entrée. Un vieillard courbé, portant d'épaisses lunettes, émergea de l'arrière-boutique.

— Bonjour, dit-il. Que puis-je pour vous ?

— Pourrais-je voir cette cuillère de bois ? demanda Carolyne.

— Bien sûr.

Lentement, il alla prendre l'objet dans la vitrine.

— Voilà qui sera nouveau pour vous si vous êtes canadiens, ou...

— Américains, acheva Mike.

Il regarda la cuillère dans la main de la jeune fille. Elle avait environ vingt-cinq centimètres de long, avec un manche mince, sculpté et aplati, de cinq centimètres de large au moins.

— Je n'ai jamais rien vu de semblable, dit la jeune fille. Est-ce quelque chose de particulier ?

— Certainement ! dit l'antiquaire avec enthousiasme. On les appelle dans ce pays des cuillères d'amoureux. Evidemment, par elles-mêmes, elles n'ont pas de valeur, mais elles ont une charmante histoire.

— Une cuillère d'amoureux..., répéta Carolyne. Je pense que les sculptures ont un sens ?

— Oui, mademoiselle.

Un doigt ridé suivit les dessins.

— Voici une chaîne : la loyauté. L'ancre, c'est la vie. La torsade, ce sont deux vies unies, et naturellement le cœur signifie l'amour. Jadis, au pays de Galles, les garçons sculptaient une de ces cuillères pour leur bien-aimée. Si elle l'acceptait, elle la suspendait à sa fenêtre et les autres garçons savaient qu'ils n'avaient plus aucune chance.

— C'est une jolie histoire, dit Carolyne. Cette cuillère est bien trop intéressante pour rester toute seule dans une vitrine.

— C'est un présent parfait à offrir par un homme à la femme qu'il a choisie, dit l'antiquaire en regardant Mike.

— Selon la légende, dit celui-ci, je devrais en sculpter une moi-même.

— Je pense, dit astucieusement le vieux marchand, que la légende serait respectée si l'homme achetait une cuillère ancienne pour sa fiancée.

— Naturellement ! dit Carolyne, caressant le bois ancien. Tenez, Mike, achetez cela pour elle : Gina en sera enchantée.

— Gardez-là donc pour vous. J'aimerais que vous l'ayez. Ce serait un souvenir de Swansea !

Carolyne secoua la tête.

— Pas du tout, dit-elle. Cela romprait le charme. Une cuillère d'amoureux doit être donnée par amour. Si vous voulez me donner quelque chose, ce carreau de céramique ferait très bien au-dessus de ma bibliothèque... à condition que la phrase qui y est inscrite ne soit pas quelque chose comme « Souvenir de l'exposition de vaches laitières de Cardiff. »

Elle regarda l'antiquaire.

— Que signifie « *Deuwch pan fynnoch croeso pan ddeloch* ?

L'homme secoua la tête, amusé par la prononciation hésitante.

— Cela veut dire : « Venez quand vous voudrez, Bienvenue quand vous viendrez. »

— Oh ! dit Carolyne, c'est charmant. J'aimerais beaucoup avoir ce carreau. Mais il faut que vous achetiez la cuillère pour Gina.

Mike sourit au vieux vendeur.

— Vous avez entendu ? dit Mike. Je prends les deux.

— Faites deux paquets, s'il vous plaît, précisa Carolyne.

Comme ils partaient, les objets payés, chacun ayant son paquet à la main, le vieil antiquaire les retint un instant.

— Je dois vous avertir, dit-il. Beaucoup de gens, par ici, pensent que les cuillères d'amoureux ont un pouvoir magique. Un homme doit être bien sûr qu'il la donne à bon escient, et une femme ne doit pas l'accepter si elle n'est pas sûre, elle aussi. Autrement...

Il prit un air malheureux. Il y eut un moment de silence.

— Nous nous souviendrons de cela, merci, dit enfin Mike.

Il prit Carolyne par le bras et l'entraîna hors de la boutique.

— Après ça, dit-il, j'ai l'impression de transporter un instrument dangereux dans ma poche ! Je croyais que le temps de la magie noire était passé dans ce pays !

— Ce n'est pas de la magie noire. Rappelez-vous que l'amour est la force qui efface les mauvais sorts !

— Puisque vous le dites... En attendant, allons déjeuner, dit Mike avec entrain.

Mais il tapota sa poche pour s'assurer que le petit colis s'y trouvait bien.

Ils suivirent la rue animée. Soudain, Carolyne sursauta.

— Cette camionnette ! dit-elle, tendant la main vers le bout de la rue. On dirait celle qui m'a renversée hier ! Oh ! Zut ! Elle a tourné... !

— N'espérez pas l'impossible, dit Mike. Cette camionnette-là doit être bien loin d'ici, maintenant.

— A moins qu'elle ne soit rentrée à Londres, chez ses patrons.

— Non, répondit sérieusement l'Américain.

— Pourquoi ?

— Je comptais vous le dire en déjeunant. J'ai appelé les bureaux de la Wellington à Londres pendant que vous étiez chez le coiffeur. Ils n'ont aucune voiture de livraison au pays de Galles. Leurs camions ne circulent que dans les régions de Londres et d'Edimbourg. Et par parenthèses, ils sont tous de couleur vert vif.

— Ainsi, nous n'avons plus aucun indice, dit Carolyne. C'est une bonne chose que je n'aie pas été tuée.

— En effet, répondit Mike avec conviction. Allons... souriez ! Il ne faut pas que les Gallois s'imaginent que les Américains ont l'air de porter le diable en terre.

Il regarda la jeune fille sourire à demi.

— Voilà qui est mieux. Vous aurez meilleur moral après déjeuner : ils ont toute une liste de sandwiches variés...

Il recula précipitamment pour éviter la main levée de Carolyne.

— Je pensais bien que cela vous réveillerait. Bon : je vous offrirai un steack et un pâté de rognons à la place.

— C'est grand et généreux de votre part !

Ils arrivaient à l'hôtel. Mike ouvrit la porte.

— C'est également de la prudence personnelle. J'imagine que votre château est bien fourni en fantômes, mais mal en provisions de bouche !

— Franchement, je n'en sais rien, avoua la jeune fille. Mais il y a un régisseur sur place ; il doit avoir ce qu'il faut.

Mike secoua la tête avec pitié.

— Seigneur ! Vous êtes encore naïve ! Nous compterons un quart d'heure de plus pour le trajet.

— Pourquoi ?

— Pour un arrêt chez l'épicier du coin. Si nous devons prendre ce château d'assaut, préparons-nous sérieusement !

Carolyne rit.

— Un moderne Don Quichotte avec une baguette de pain français en guise de lance ! dit-elle.

— Disons plutôt un gâteau anglais aux raisins secs.

Devant l'air intrigué de Carolyne, il expliqua :

— C'est tellement lourd que cela peut assommer n'importe qui !

Carolyne s'arrêta à la porte de la salle à manger.

— En tout cas, je sais une chose, dit-elle. Après deux jours de vos plaisanteries, j'apprécierai même les fantômes de Lyonsgate !

Pour toute réponse, Michael fit signe au maître d'hôtel.

— Nous verrons, mademoiselle Drummond, nous verrons ! dit-il.

Carolyne était de bien meilleure humeur après

un déjeuner excellent et bien servi. Les voyageurs traversèrent gaiement la ville animée. Ensuite, ils abordèrent des paysages plus arides, après quoi la campagne grise et rocailleuse fut remplacée par de grasses prairies occupées par des moutons ou des bestiaux bien soignés.

Les heures passèrent agréablement et Carolyne était encore dans l'insouciante béatitude apportée par le bercement de la voiture et le décor bucolique lorsque la soudaine apparition de l'austère silhouette de Lyonsgate, dressée sur la colline, la fit frémir d'effroi.

Le château était construit sur un rocher abrupt, dominant les eaux turbulentes de la Baie des Martyrs. A une extrémité, la tour principale s'élevait en forme de hallebarde moyenâgeuse ; autour de son pied de pierre grise, l'herbe poussait en plaques et en touffes comme des cheveux follets sur une tête chauve.

Le vaste terrain qui entourait le château était planté d'arbres serrés et les hautes herbes de pelouses non entretenues se dressaient de part et d'autre du bâtiment.

« Cela ressemblait au parc abandonné d'une ville », décida la jeune fille.

— Une douzaine de jardiniers remettraient cela en état en l'espace de six mois, dit Mike, qui était sur la même longueur d'ondes. J'espère que votre patron a de l'argent en quantité.

— Il en a une masse.

— Il en aura besoin. Je crois que cela lui reviendrait moins cher d'acheter le Lichtenstein ou le Luxembourg.

— Je ne m'attendais pas à ce que Lyonsgate soit si grand !

Mike ralentit en tournant sur une petite route où un écriteau de bois indiquait seulement : « Château. »

— Je n'y avais pas réfléchi, dit-il, mais il me semble que généralement, les châteaux authentiques ne sont jamais très petits. Comparé à Windsor, celui-ci est évidemment modeste, mais il abriterait sans peine un troupeau d'élans.

Carolyne contemplait les petites fenêtres pointues qui parsemaient la grande tour.

— Comment font-ils pour laver les vitres ? demanda-t-elle.

Mike secoua la tête en silence, et du geste, désigna une aile qui dépassait de la partie centrale de l'édifice.

— Regardez ces créneaux et ces deux échauguettes !

Docilement, Carolyne regarda par le pare-brise.

— Je sais ce que c'est que des créneaux, dit-elle, mais qu'est-ce que des échauguettes ?

— Ces tourelles rondes placées en l'air aux extrémités de la muraille... Cela servait à la défense. Ces entailles, au sommet... Ma parole ! Ce doit être des fentes pour tirer des flèches !

Carolyne fouilla dans son sac et en tira une feuille dactylographiée.

— C'est exactement ça, dit-elle. « Le château possède une chapelle, édifiée sur les ruines d'un ancien donjon qui était utilisé avant l'époque de Cromwell et... »

— ... Et un mur d'enceinte coupé par une grille de fer, dit Mike arrêtant brusquement la voiture. Les voilà.

— Avec des lions de pierre de chaque côté, murmura Carolyne.

— Etes-vous sûre qu'on vous attend ?

Elle hocha la tête.

— L'agence immobilière de Londres a fixé le rendez-vous. Il doit y avoir un régisseur quelque part par là.

— Un portier serait plus indiqué..., grommela Mike. Je vais voir s'il y a quelqu'un... mais nous serons peut-être obligés de repartir à la recherche d'un téléphone, en espérant qu'il est installé sur ce tas de pierres.

Carolyne aurait voulu pouvoir refouler le sombre pressentiment qui l'envahissait à la vue du château.

— Les nobles personnages ont-ils des choses comme le téléphone ? N'envoyaient-ils pas un écuyer ou un pigeon voyageur pour porter des messages ? demanda-t-elle.

— C'était plutôt une servante avec un papier plié caché en un point stratégique, dit Mike avec un sourire égrillard.

Carolyne le regarda descendre de voiture.

— Si vous rencontrez une servante, dit-elle, demandez-lui s'il y a une clé cachée à un endroit stratégique. Il fait froid.

Mike sourit avant de s'approcher de la grille. Il regarda prudemment de l'autre côté et la jeune fille soupira. Dieu merci, elle n'était pas venue seule !

L'air humide et salé envahissait la voiture. Elle remonta le col de sa veste et se recroquevilla sur son siège.

— Je veux bien être pendu ! s'exclamait Mike.

— Qu'avez-vous trouvé ? cria-t-elle.

Le grincement de gonds rouillés lui répondit. L'Américain écartait les lourdes grilles en les poussant de l'épaule.

— Vous voulez dire que c'est ouvert ? insista-t-elle.

— Comme vous voyez...

Il revint à la voiture, s'essuyant les mains à son mouchoir.

— La serrure ne fonctionnait pas ? demanda la jeune fille.

— Elle n'a pas fonctionné depuis un siècle ou deux. C'est aussi bien.

Il remit le moteur en route et s'engagea lentement dans l'avenue.

— Evidemment, ils ne veulent pas que les voisins viennent les voir, dit-il.

— C'est justement les voisins qui sont fautifs, dit Carolyne. Je viens de lire ça. Ils sont venus pendant des siècles, apportant leurs arbalètes et de l'huile bouillante destinés aux visiteurs suivants. Quand les troupes de Cromwell sont arrivées, elles ont assiégé le château qui a changé de propriétaire.

— Pas très amical ! dit Mike.

— Mais six mois plus tard, les envahisseurs étaient jetés dehors et les choses sont redevenues comme avant. Qu'y a-t-il ?

Mike riait de tout son cœur.

— Rien, dit-il avec peine, mais j'aimerais voir la tête d'un professeur d'histoire s'il entendait votre version simplifiée d'un siège des Têtes Rondes !

— Excusez-moi... j'ai un peu condensé.

— Ne vous excusez pas, cela me plaît beaucoup. Mais vous ferez mieux d'éviter ces explications si le propriétaire du lieu est là.

— Il n'y sera pas. A l'agence de Londres, on m'a dit qu'il est quelque part en Extrême-Orient dans la diplomatie. Je le vois d'ici, avec une grande moustache tombante et un air arrogant. Croyez-vous qu'il parle du « Bon vieux temps » aux Indes ?

— La plupart des gens de cette catégorie ont disparu avec Neville Chamberlain, dit Mike. N'avez-vous pas vu la génération moderne à Picadilly Circus, ces temps-ci ?

Carolyne fit une horrible grimace.

— Dieu, oui ! Les garçons ont des colliers, les filles ont des robes ultra-courtes ou extra-longues, rien entre les deux... Je me demande si nous aurions dû refermer cette grille ? ajouta-t-elle avec inquiétude.

— Non, puisque je ne fais qu'aller et venir. Inutile de faire un travail supplémentaire.

— Mais vous resterez tout de même dîner...

La jeune fille s'interrompit, songeant soudain qu'elle n'était guère en situation d'inviter qui que ce fût : le château ne lui appartenait pas !

— Bien sûr !

De nouveau, il lisait dans sa pensée tout en négociant un virage de l'avenue.

— Ne vous en faites pas pour moi, ajouta-t-il.

— Vous n'allez pas repartir directement pour Swansea ce soir ? Il fait presque nuit !

— Est-ce tellement terrible ?

— Non, mais... la route est longue.

Elle regarda le château par la vitre de la voiture.

— Il y a sûrement plusieurs chambres d'amis, dit-elle.

— Ecoutez, déclara Mike d'un ton ferme. C'est votre mission et je refuse d'en faire partie. Je m'assurerai que vous êtes convenablement installée pour la nuit et je repartirai pour la ville la plus proche. Je trouverai bien une chambre dans une auberge.

Carolyne pensa qu'il aurait pu s'abstenir d'avoir

l'air si pressé de se débarrasser d'elle. Elle dit assez
sèchement :

— Vous êtes inutilement entêté. Comme d'habitude !

Pour toute réponse, il releva un sourcil, puis il
arrêta la voiture et retira la clé de contact.

— Cherchons le régisseur : si ce n'est pas la
bonne porte, il nous faudra un quart d'heure pour
contourner la bâtisse et en trouver une autre.

Carolyne mit pied à terre et gravit les premières
marches du perron.

— C'est bien silencieux, vous ne trouvez pas ?

Mike contemplait les massifs hirsutes qui enca-
draient l'entrée du château. Quelqu'un avait essayé
de couper l'herbe mais le résultat indiquait plus de
bonne volonté que d'aptitudes.

Une haie fleurie qui entourait une vaste pièce
d'eau au milieu de l'herbe avait l'air d'une forêt
vierge plutôt que d'une bordure ornementale.

— Quel dommage ! dit-il. Il y avait là un jardin
autrefois...

— C'est exactement le genre de chose que le
vieil Henry adorerait en dépit de cet état lamentable,
dit Carolyne. Il aimerait ce lion de pierre au bout
de la pièce d'eau... et si je le connais bien, il décou-
vrira une généalogie prouvant qu'il descend directement des fondateurs du château.

— En y ajoutant Richard Cœur-de-Lion pour
faire bonne mesure !

— Seigneur ! Aurait-il logé ici lui aussi ?

— Cela m'étonnerait. Il aimait les hivers chauds
de Chypre.

— Maintenant, c'est vous qui en prenez à votre
aise avec l'Histoire !

— Assez de bavardages, dit Mike en prenant le

bras de la jeune fille. Donnons l'assaut et entrons dans la place. Dehors, il fait vraiment froid.

Ils s'arrêtèrent devant la porte d'entrée sculptée.

— Comment entrer ? demanda la jeune fille tout bas. Il n'y a ni sonnette ni heurtoir.

— Je pense que nous pouvons tirer cette chaîne. Ou bien elle actionnera une cloche quelque part, ou elle fera basculer un seau d'huile bouillante du haut de la muraille.

Carolyne sauta en arrière.

— Restez tranquille, idiote ! Je blague !

Il tira la chaîne avec énergie.

— Et maintenant ?

La jeune fille était nerveuse et cela se devinait à sa voix.

— Chut... je crois avoir entendu quelque chose... Oui, le régisseur est à son poste, finalement.

La lourde porte s'ouvrit en grinçant de tous ses gonds. Effrayée, Carolyne se cramponna au bras de Michael. Tous deux fixaient l'homme de haute taille qui paraissait à la porte.

— Bonsoir, dit-il aimablement. Excusez-moi de vous avoir fait patienter, mais je n'attendais personne et cela prend du temps de venir jusqu'ici. Que puis-je faire pour vous ?

Il jetait à Mike un regard interrogateur.

— Je m'appelle Evans, dit l'Américain. Michael Evans. Nous sommes venus suivant la demande faite par mademoiselle Drummond de visiter la propriété.

— Euh... oui, dit Carolyne, prenant la parole. L'agence de Londres a pris rendez-vous pour moi, afin que je puisse visiter le château cette semaine.

Elle continua, en dépit de l'air ahuri de l'homme.

— Je représente monsieur Lyons, aux Etats-Unis.

— Voulez-vous dire qu'un homme qui s'appelle

Lyons, en Amérique, serait intéressé par l'achat de cette propriété ?

Il y avait une incrédulité polie dans son ton saccadé.

— Mais oui. C'est pour cela que je suis ici.

Carolyne n'y comprenait rien.

— L'employé de l'agence m'a dit qu'il avertissait le régisseur. Ne vous a-t-il pas téléphoné ?

A côté d'elle, Mike demeurait prudemment silencieux. La jeune fille se demanda s'il était aussi étonné qu'elle de voir un homme aussi jeune à la garde du château. Il ne pouvait avoir plus de trente ans.

De nouveau, elle regarda la silhouette nonchalamment appuyée au chambranle de la porte. L'homme était mince mais très grand, largement plus d'un mètre quatre-vingts. Ses cheveux bruns avaient besoin d'être coupés et retombaient en désordre sur un large front qui surmontait un nez en bec d'aigle. Des pommettes proéminentes soulignaient des yeux enfoncés dans les orbites et lui donnaient un aspect de dignité hautaine qu'un vieux pull-over et un pantalon de flanelle fané ne démentaient pas.

Seul son accent était impeccable, mais c'était l'accent tranchant des Anglais et non le chantonnement des paysans gallois.

Il parut se réveiller enfin.

— Bien sûr, mademoiselle Drummond. Je suis désolé de ce contretemps... Le gars de Londres a probablement averti le vieux Reese.

Il remarqua la surprise de la jeune fille et ajouta :

— Reese est le régisseur de Lyonsgate. Malheureusement, il est absent depuis deux ou trois jours.

— Mais alors, vous êtes... ?

— Je suis Hugh Lyons.

Il ouvrit la porte toute grande et précisa en souriant :

— Je suis le propriétaire. Voulez-vous entrer ?

— Merci. Très volontiers.

Il n'y avait pas à se tromper sur le ton impérieux de Mike qui avait répondu en poussant Carolyne en avant.

— Je vais allumer quelques lumières pour que vous voyiez un peu mieux, dit Hugh.

Il planta là les visiteurs pour appuyer sur des commutateurs dans un immense vestibule dont le centre était occupé par une énorme table de chêne.

— Je suis seul ici ce soir. Je garde la place, comme vous diriez en Amérique, dit Hugh Lyons en revenant.

Il sourit à la jeune fille.

— Que cela ne vous inquiète pas cependant ; je peux m'arranger pour vous loger cette nuit.

Un lustre s'alluma au-dessus de leurs têtes.

— Voilà qui éclaire la situation, dit Hugh Lyons.

Il se tourna vers Mike.

— Et vous, monsieur Evans ? Passerez-vous aussi la nuit ici ?

Il y eut un bref silence. Mike vit Carolyne se raidir près de lui : était-ce d'espoir ou de peur ?

Il n'hésita pas longtemps. Il s'éclaircit la gorge et déclara avec autorité :

— Oui, merci. Je reste aussi.

Avec autant de politesse que leur hôte, il ajouta :

— J'ai projeté de rester aussi longtemps que mademoiselle Drummond aura besoin de moi.

CHAPITRE IV

Une demi-heure passa avant que Carolyne ne puisse prendre Mike à part.

— En plus de vos autres défauts, dit-elle, je constate que vous êtes un fieffé...

— Menteur, compléta-t-il.

— C'est bien le mot que j'avais à l'esprit.

Ils étaient seuls à ce moment, assis devant un feu ardent dans le grand vestibule. On avait essayé de le meubler confortablement : quelques fauteuils capitonnés s'insinuaient entre des coffres de chêne sculpté et des chaises de bois à haut dossier.

Deux vastes tapisseries recouvraient la majeure partie des murs et de massives poutres de chêne striaient le plafond blanchi à la chaux. La cheminée monumentale était également en chêne sculpté. Deux lions assis, en pierre, étaient placés de chaque côté.

Un endroit choisi pour une bonne petite conversation intime, pensa Carolyne. Elle retrouvait là tout le charme de la salle des pas perdus de la gare principale de New York !

— J'ai pensé qu'un peu d'aide ne serait pas de trop, répondit Mike.

Il grimaçait en s'efforçant de s'introduire dans

un fauteuil ancien qui aurait été mieux à sa place dans un musée. A son expression, on devinait ses regrets que le musée n'ait pas découvert le fauteuil plus tôt.

— Je ne pouvais pas vous laisser seule toute la nuit avec...

D'un signe de tête, il désignait le fond du vestibule.

La jeune fille jeta un regard inquiet derrière elle.

— Ne parlez pas trop fort, ou il va vous entendre ! dit-elle. Je ne comprends pas pourquoi il lui faut tant de temps pour faire du café.

— Il faut probablement un quart d'heure pour atteindre la cuisine, et ensuite un autre quart d'heure pour en revenir. J'espère que vous aimez le café froid car c'est sûrement ce que vous aurez.

Renonçant à trouver une position confortable, il chercha une cigarette dans sa poche.

— Je déteste le café froid et ce soir plus encore que d'habitude, dit la jeune fille.

Elle frissonna malgré le feu. Ses flammes produisaient singulièrement peu d'effet sur le courant d'air qui sifflait à ses oreilles.

— Je me demande s'il y aura de l'eau chaude pour prendre un bain plus tard ? soupira-t-elle.

— C'est bien possible, répondit Mike, réconfortant.

Il alluma sa cigarette.

— S'il n'y en a pas, on doit bien trouver une bassinoire quelque part dans le château : nous la remplirons de braises.

— J'aime autant une bouillotte chaude, merci. *Ma* bouillotte ?

Mike la regarda avec stupeur.

— Je ne savais pas que les femmes transportent avec elles ce genre de chose ! dit-il.

Carolyne leva le menton.

— Evidemment, vous ne connaissez que le type de femmes italiennes au sang chaud, mais pour les autres...

— Vous parlez de l'espèce à sang froid ?

— Exactement... non ! bien sûr que non ! s'exclama la jeune fille indignée. Vous êtes impossible !

Un bruit de pas lui imposa silence, mais elle croisa ses bras sur sa poitrine d'un air de défi, en partie par indignation, en partie pour se tenir plus chaud.

Hugh Lyons parut, portant un plateau d'argent sur lequel étaient posées une cafetière de terre ébréchée, et trois tasses avec leurs soucoupes qui avaient l'air de valoir une fortune, même vues de loin.

— Je suis désolé de vous avoir fait attendre, dit-il. Madame Reese, la femme du régisseur, a d'étranges méthodes de rangement dans la cuisine et je n'y vais pas assez souvent pour les comprendre.

Il posa le plateau sur une petite table et disposa les tasses.

— Le café a probablement refroidi ; j'espère que cela ne vous fait rien.

— Rien du tout, dit Carolyne poliment, en évitant de regarder Mike.

— Nous n'aurons du lait et de la crème que demain, mais les Américains prennent leur café noir, n'est-ce pas ?

— En effet, répondit Mike avec bonne humeur.

Amusé, il regardait sa compatriote qui, à sa connaissance, aimait de la crème dans son café.

Hugh prit sa tasse et s'assit sur un canapé d'un air ravi.

— Vraiment, dit-il, je suis content d'être revenu dans un pays où vous pouvez sans danger faire du café avec de l'eau pure !

Carolyne, avec un peu de retard, se rappela les bonnes manières.

— Ce café est très bon, dit-elle. Je crois que vous étiez en poste en Extrême-Orient ?

Hugh Lyons hocha la tête affirmativement et accepta une cigarette de Mike.

— A Burma, dit-il en se penchant vers le briquet. Quatre ans... Quatre longues années !

— Je croyais que dans la diplomatie, la vie était une fête continuelle ? fit remarquer Carolyne.

Hugh lui jeta un regard complice.

— C'est ce qu'on raconte aux jeunes attachés qui se destinent à la carrière, dit-il. Entre nous, on s'ennuie horriblement : quatre ans de réceptions où il n'y a que trois sujets de conversations.

— De quoi parle-t-on aux réceptions de diplomates ? demanda la jeune fille qui en oubliait son café.

— D'abord, les gens vous disent : « Depuis combien de temps êtes-vous ici ? » Ensuite, ils demandent : « Combien d'enfants avez-vous ? » et finalement, on en vient au plus intéressant : « Il fait chaud, n'est-ce pas ? »

Hugh frissonna.

— Imaginez... quatre ans de ça !

Carolyne et Mike riaient de bon cœur.

— Jamais plus les films qui se passent chez les diplomates ne seront pareils pour moi ! dit Carolyne. Vous nous retirez toutes nos illusions !

— Je n'aurais pas dû vous dire ça, soupira Hugh. C'était pour vous faire comprendre ma joie d'être de retour chez moi. Même si ce café faible et froid offense vos goûts américains, ajouta-t-il d'un air amusé.

— Félicitations pour votre diplomatie, dit Mike en levant sa tasse tandis que Carolyne rougissait. Je comprends pourquoi les diplomates anglais donnent aux nôtres, par comparaison, l'air de cousins de campagne.

— Maintenant que nous avons décidé cela, vous devez vous demander où vous allez dormir, demanda Hugh.

Il se leva, dépliant son grand corps sons effort apparent.

— Je crains que vous ne trouviez la nuit pire que le café. Les chambres sont prêtes, mais les lits n'ont pas été ouverts.

Il se tourna vers Carolyne.

— Cela pose-t-il un problème là où vous habitez ?

Elle secoua la tête négativement.

— Pas dans mon logement de deux pièces, dit-elle.

— Mais vous avez le chauffage central.

A l'entendre, on aurait cru qu'il s'agissait du péché originel.

— Les appartements sont construits comme ça, dit-elle aimablement, mais je suis sûre que nous serons très bien ici.

Elle en douta lorsqu'ils se dirigèrent vers le grand escalier en fer à cheval où il faisait encore plus froid.

Quand elle vit la chambre qui lui était destinée, elle fut encore moins convaincue. Pour la première fois, elle comprit pourquoi Guenièvre avait quitté le Roi Arthur, le laissant au château de Cardiff, pour fuir en France avec Lancelot. Les rusés Français avaient dû lui promettre une chambre bien

chauffée, et Guenièvre, frigorifiée après un hiver
gallois, était partie en courant !

Hugh s'attardait à la porte avec anxiété. Elle
leva la tête.

— Cette chambre est magnifique, dit-elle en
toute sincérité, mais je me sens un peu écrasée.
Jamais je n'ai dormi dans une chambre aussi vaste !

D'un geste, elle embrassait la pièce aux murs
blancs qui aurait facilement logé sept dames d'un
harem turc.

Au milieu d'un mur, se dressait un magnifique
lit à colonnes, avec des rideaux et un couvre-pied
marron, encore élégants malgré les marques des
siècles. D'immenses armoires étaient placées de chaque côté et Carolyne refoula un rire à leur vue :
le contenu de ses valises aurait occupé un tout petit
coin de l'une d'elles.

En face s'ouvrait une vaste cheminée où Hugh
avait évidemment allumé du feu tout en préparant
le café. Les flammes avaient fait de leur mieux, mais
on sentait à peine la chaleur dans la pièce glaciale.

— Je ne suis pas habituée à tout cela, dit la
jeune fille d'une voix faible.

L'étincelle soudaine qui brilla dans les yeux
amusés de Michael lui révéla qu'il comprenait fort
bien ce qu'elle voulait dire ; quant à Hugh, il estimait
que c'était là une remarque toute naturelle.

— Tout au moins, les installations sanitaires
sont parfaites, dit-il. Mon grand-père a fait installer
des salles de bains supplémentaires de sorte que
vous n'aurez pas à traverser le vestibule en bas
comme il fallait le faire autrefois.

Un autre argument pour Lancelot, pensa Carolyne.

— Tout cela a dû vous manquer terriblement quand vous étiez à Burma, dit Mike aimablement.

Hugh secoua la tête.

— C'est seulement par raccroc que j'ai hérité il y a quelques années, dit-il avec un peu d'amertume. Si je ne suis pas très enthousiaste au sujet du château de mes ancêtres, c'est parce que ma mère m'a emmené vivre en France dans sa famille quand j'étais encore très petit. Mes souvenirs de Lyonsgate ne sont pas tous excellents. C'est une des raisons pour lesquelles j'ai mis le château en vente.

Il se tourna vers Mike qui s'appuyait contre la porte.

— Si vous avez quelque idée des droits de succession en Angleterre, vous pouvez facilement imaginer mes autres motifs.

— J'ai entendu dire qu'ils sont assez durs.

— C'est exprimer les choses modestement. J'espère que votre monsieur Lyons, en Amérique, décidera qu'il a besoin d'un château !

— Il n'est pas « mon » monsieur Lyons, fit observer Mike. Je suis seulement un compagnon de route. Mademoiselle Drummond est votre cliente.

— Alors, je mettrai toute mon énergie à la convaincre.

L'attention de Hugh revenait à Carolyne, son sourire indiquant qu'il n'éprouvait pour cela aucune difficulté.

— Si je pouvais remplir ma bouillotte d'eau chaude, ce serait déjà un début, répondit-elle modestement.

La perspective de draps humides dans ce lit gigantesque la faisait frissonner à l'avance.

— Certainement. Voulez-vous encore du café ?

— Non, merci, seulement la bouillotte d'eau

chaude. Si vous voulez bien attendre un instant, je vais vous la confier.

Elle ouvrit la petite valise que Mike avait posée sur un coffre et y chercha cet objet précieux.

— C'est une chance que vous en ayez apporté une, dit Hugh. Je ne sais pas où les Reese rangent les nôtres.

— Sont-ils chez vous depuis longtemps ? Je parle de vos régisseurs... dit Mike.

Hugh tisonnait le feu.

— Des années et des années, dit-il. Mes seuls bons souvenirs de cette demeure tournent autour du vieux Reese. Sa femme ne parle que le gallois, vous savez, et cela limite un peu la conversation, mais le vieux bonhomme ne pourrait être plus obligeant. Heureusement, ils font très bien la cuisine, de sorte que tout ira bien.

Il se leva et s'essuya les mains.

— Vous aimeriez peut-être manger quelque chose avant de vous coucher ?

Mike, dont l'estomac criait famine, parut enchanté mais Carolyne repoussa l'invitation.

— Ne vous inquiétez pas de cela, dit-elle. Nous mangeons beaucoup trop depuis que nous sommes dans ce pays.

— Alors, si vous êtes sûrs...

Mike jeta à Carolyne un regard qui aurait foudroyé n'importe qui et elle lui répondit par un coup d'œil de défi.

— Je crois que nous n'avons qu'à nous coucher, dit-elle étourdiment.

Mike fut pris par surprise mais il se ressaisit prestement et décida de s'amuser un peu.

— Comme vous voudrez, ma chérie, dit-il.

Feignant de ne pas remarquer la surprise de la

jeune fille, il s'approcha d'elle et passa un bras de propriétaire autour de ses épaules.

— Appelez-moi si vous avez besoin de moi plus tard dans la nuit, n'est-ce pas ?

Hugh se retourna pour les regarder d'un air ahuri. Visiblement, il changeait d'avis quant aux relations de ses visiteurs et ses conclusions évidentes déplurent fort à Carolyne. Elle se dégagea précipitamment du bras qui l'entourait si affectueusement et mit dans la main rétive de Mike la bouillotte vide.

— Vous pourrez aider Hugh à remplir ceci, dit-elle d'une voix sucrée.

L'Américain balança le sac de caoutchouc comme s'il s'agissait d'un poisson mort.

— Merci mille fois, dit-il enfin. Vous êtes sûre que vous serez bien ?

— Je serai parfaitement bien.

— Inutile de vous inquiéter, dit Hugh. Ma chambre est à l'autre bout du couloir.

— Et la mienne ? demanda Mike.

— Deux portes plus loin, du côté opposé. Je pense qu'elle vous conviendra.

En termes d'hôtelier, cela signifie généralement un sommier défoncé et une cheminée qui tire mal, Mike l'avait maintes fois constaté. Il commençait à comprendre pourquoi les troupes de Cromwell avaient quitté le château au bout de six mois.

— Ma bouillotte chaude..., dit Carolyne.

Elle fit plier ses doigts glacés, se demandant s'ils parviendraient à se réchauffer.

— La bouillotte chaude, bien sûr ! dit vivement Hugh. Je vous la rapporterai moi-même quand j'aurai installé monsieur Evans chez lui.

— Merci mille fois, dit Carolyne.

Elle s'efforçait de prendre un ton enthousiaste.

— C'est une expérience extraordinaire que séjourner dans un véritable château féodal ! Je ne vais certainement pas pouvoir dormir tant cela m'intéresse !

Cette prophétie lui revint à l'esprit plus tard dans la nuit. Regardant sa montre pour la nième fois pour découvrir qu'il était seulement minuit moins le quart, elle prit la ferme résolution de ne plus jamais critiquer les hôtels modernes.

Depuis longtemps, le feu n'était plus qu'une mince couche de braises qui prenaient, à vue d'œil, une teinte plus grise. L'appel d'air emportait dans la cheminée tout ce qui restait de vague chaleur. Carolyne soupira.

Elle était encore tout habillée, mais elle s'était changée pour mettre une jupe longue, en bonne laine, et le plus épais de ses chandails. L'idée de retirer ces vêtements pour revêtir un pyjama de nylon et se glisser dans ce lit gigantesque était trop horrible pour être envisagée.

Les draps humides et froids n'étaient pas la seule cause de son cœur battant plus vite que d'habitude. Une demi-heure plus tôt, une série de bruits étouffés l'avaient tirée de sa lecture.

Elle leva les yeux un instant et décida que tous les vieux châteaux craquent par temps froid comme les maisons ordinaires.

Vingt minutes plus tard, d'autres bruits la firent sursauter. Evidemment, des termites, pensa-t-elle. Celles qui vivent dans les vieux châteaux doivent devenir plus grandes que celles des maisons moins anciennes. Cependant, cette fois, elle posa son livre et, mal à l'aise, fit le tour de la chambre.

Hugh Lyons ne pouvait tout de même pas son-

ger à rôder toute la nuit derrière les murs de sa
chambre pour tenter, en l'effrayant, de la faire
renoncer à une affaire parfaitement saine ! Elle serra
les dents pour les empêcher de s'entrechoquer. Si
seulement Liz était là ! Même des importuns venus
d'un autre monde ne troubleraient pas la secrétaire du vieil Henry ! Si elle était là, elle serait
déjà sortie pour prier les fantômes de s'en aller
et de revenir à une heure plus décente.

Carolyne s'approcha délibérément du mur le
plus proche et y colla son oreille. Rien. Enfin...,
rien en ce moment... Elle alla à la fenêtre pour
regarder au dehors.

Si elle ouvrait la fenêtre, avait dit Hugh, elle
entendrait la mer. Elle tendit la main vers la poignée,
puis elle regarda de nouveau la sombre nuit et
elle renonça. La mer était certainement très loin en
contrebas et penser à cela ne lui remontait en rien
le moral.

Avec irritation, elle retraversa la chambre. Si
ces bruits exaspérants continuaient assez longtemps,
elle pourrait essayer de les identifier, ou tout au
moins de voir d'où ils venaient. Malheureusement,
ils ne dépassaient pas trente secondes à chaque fois
et ils étaient si étouffés qu'il était difficile de les
reconnaître.

Au début, elle pensa appeler Hugh ou Mike à
son secours, mais elle se dit aussitôt qu'ils la pren-
draient pour une folle, ou pour une femmelette
nerveuse, douée de trop d'imagination. Sans aucun
doute, on n'entendrait plus rien au moment voulu :
les fantômes gallois se conduisent certainement
comme les bruits inquiétants dans les intérieurs des
voitures : dès que le mécanicien arrive, ils dis-
paraissent. La seule chose à faire pour elle était de

rester drapée dans sa dignité solitaire et de regarder passer les heures.

La seule chose à faire, vraiment ?

Elle pouvait au moins s'occuper. Prendre le carreau de faïence de Swansea, par exemple, et le transférer de son sac à main dans sa valise.

Contente d'avoir découvert une distraction, elle prit soigneusement l'objet et le mit sur ses genoux pour l'admirer de nouveau. « Venez quand vous voudrez... Bienvenue quand vous viendrez... » Lentement, elle suivit du doigt les lettres ornementales. C'était vraiment un charmant souvenir. Malgré elle, sa pensée revint à la cuillère d'amoureux, dont le manche contait une histoire d'amour.

— J'espère que sa précieuse Gina saura l'apprécier ! grommela-t-elle.

Elle se regarda dans le miroir, sur le mur d'en face. Son visage avait l'air malheureux et las. Quelle idiote elle était ! Se faire du chagrin au sujet de stupides souvenirs !

Elle se redressa énergiquement et alla mettre le carreau dans sa valise sous une pile de lingeries. Comme cela, elle était sûre que l'objet arriverait à destination en bon état.

Ce fut à cet instant que le bruit recommença. Si net, cette fois, que Carolyne se figea de terreur. Il s'agissait sans doute possible d'un gémissement de douleur, brusquement interrompu par les coups sourds qu'elle avait entendus auparavant.

La jeune fille resta un moment indécise, puis à pas de loup elle s'approcha du mur pour écouter. Déjà les coups allaient s'affaiblissant, devenaient creux comme un écho. Encore quelques secondes et ce fut le silence.

— Zut !

Le mot lui échappa en un faible gémissement et elle se mordit le poing d'exaspération. Rester dans cette chambre en attendant la prochaine séance ? Cela devenait impossible. Quiconque gémissait ainsi avait besoin de secours.

— Et il n'est pas le seul, ajouta-t-elle, ravalant un sanglot. J'en ai besoin aussi !

Ce lui fut un incroyable soulagement qu'endosser sa veste et sortir dans le couloir, laissant sa porte entrouverte pour s'éclairer. Maintenant... où était la chambre de Mike ? Que disait Hugh ? En face et une... non, deux portes plus loin. Elle s'arrêta devant une porte de bois sculpté et frappa. Discrètement.

Sans résultat.

S'il rit, je le tuerai ! pensa-t-elle.

Elle frappa plus fort. La porte s'ouvrit brusquement et elle faillit frapper la poitrine de l'Américain.

Son accueil ne fut pas extatique. Il fronça les sourcils et resta immobile en grognant :

— Que diable faites-vous là ?

— Je ne suis pas en train de vendre des aspirateurs ! riposta-t-elle avec indignation. Pour l'amour du ciel, laissez-moi entrer !

Il passa une main lasse sur son visage avant de s'effacer pour lui livrer passage.

— Bon ! dit-il. Vous y voilà. Qu'y a-t-il ?

Il ferma la porte sans bruit et s'y adossa.

Carolyne joignit les mains en s'avançant vers la cheminée. Elle remarquait subconsciemment que leur habitat avait au moins deux détails communs : un lit gigantesque et une température avoisinant le point de congélation.

— Votre feu est éteint aussi, murmura-t-elle.

Avec une grimace amusée, il alla s'asseoir sur le bord du lit.

— Si vous vendez du combustible, dit-il, je vous achète tout ce que vous avez ! Qu'y a-t-il d'autre ?

Il s'était changé aussi et portait une chemise de laine avec un gros pull-over et un pantalon de tissu épais. D'après son air très réveillé et l'état du lit, Carolyne comprit qu'il n'avait pas envie de se coucher non plus.

Mike la regarda parcourir la chambre.

— Vous n'êtes tout de même pas venue pour me proposer de frotter deux morceaux de bois l'un contre l'autre... ?

— Non, mais ce serait une bien bonne idée.

Avec résignation, elle contempla le feu mourant. Le moment venait d'expliquer son intrusion et elle ne trouvait pas ses mots. Son regard tomba sur une peau d'ours brun étalée devant la cheminée et elle s'y agenouilla pour examiner les crocs écartés dans une perpétuelle grimace hargneuse.

— Il n'y a rien qui ressemble à cela dans ma chambre, dit-elle. D'où croyez-vous que cela vienne ?

— Peut-être Madame Cromwell l'a-t-elle acheté dans une vente de charité. Que voulez-vous que j'en sache ?

— Inutile de me parler sur ce ton ! répliqua la jeune fille avec colère. Si vous vous en souvenez, vous avez été plutôt désinvolte au début de la soirée ! Je frémis en pensant à ce que Hugh a pu penser !

— Le moment est vraiment mal choisi pour une dispute.

Mike affecta de regarder sa montre.

— Ecoutez, Carolyne, dit-il d'un ton raisonnable, il est tard. Beaucoup trop tard pour que vous veniez

vous promener dans des chambres étrangères... à
moins que vous n'ayez un motif sérieux.

Il feignit de ne pas voir la rougeur qui envahissait les joues de la jeune fille et répéta sévèrement :

— Un motif *sérieux* !

Carolyne s'assit sur la peau d'ours et mit un
doigt dans le nez de la grosse tête.

— J'ai entendu des bruits...

Elle regardait fixement les yeux de verre et entendit un grognement qui venait du lit. Elle leva
les yeux.

— Plusieurs fois. La dernière fois, quelqu'un a
gémi.

Michael se leva et lui tendit la main.

— Venez, dit-il. Je vous ramène chez vous et je
vous prouve que vous imaginez des choses.

Elle secoua la tête.

— Ah ! non. Allez-y, vous ! Moi, je reste ici.
Voilà des heures que je meurs de peur... S'il y
avait un train dans le coin, je serais à moitié revenue
à Londres maintenant. Le vieil Henry pourra choisir
ses châteaux lui-même désormais !

— Ne faites pas la sotte. Vous êtes probablement fatiguée...

— Je le voudrais. Franchement, j'étais prête à
grimper au mur ! Pourquoi Hugh ne nous a-t-il rien
dit de ces séances de nuit ?

— Il est revenu voici quelques jours seulement :
peut-être n'a-t-il rien entendu.

— Ne prenez pas cet air dubitatif ! dit impatiemment la jeune fille. Je n'ai pas la manie d'entendre
des gémissements dans les murs !

Mike s'arrêta à mi-chemin de la porte.

— Vous êtes sûre qu'il s'agissait de gémissements ?

Elle hocha la tête, puis la secoua lentement.

— Pas tout à fait, admit-elle. Cela avait l'air de quelqu'un qui souffrait, mais cela s'est arrêté si brusquement que c'est difficile à dire. Quand je suis arrivée contre le mur, c'était fini.

— Combien de fois avez-vous entendu ces bruits ?

— Trois fois... à vingt minutes de distance à peu près.

Elle regarda sa montre.

— S'ils sont exacts, le rideau devrait se lever dans cinq minutes environ.

— Bon. J'y vais et je verrai ce qui se passe.

— Mike... !

L'appel fit rentrer l'Américain dans la chambre.

— Allez-vous avertir Hugh ?

— Pas tout de suite.

Voyant qu'elle paraissait soulagée, il expliqua :

— Je ne suis pas encore très convaincu moi-même. Si vous entendez des bruits ici, lâchez l'ours contre l'ennemi !

Il ferma la porte derrière lui avant que Carolyne ait trouvé une réponse satisfaisante.

Restée seule, la jeune fille s'énerva. Elle ne savait plus si elle voulait que Mike entende ces bruits ou non. Il serait rassurant de voir confirmer ses frayeurs ; mais d'autre part, il serait tout aussi réconfortant d'apprendre que les murailles du vieux château réagissaient seulement aux conditions atmosphériques. Mais depuis quand, se demanda-t-elle, les changements atmosphériques font-ils gémir les poutres pendant la nuit ?

Elle soupira et souhaita le retour de Mike. Puis elle sourit et tapota la tête de la peau d'ours.

— Tu n'es pas très joyeux compagnon, mon ami ! dit-elle.

Les yeux de verre lui jetèrent un regard malveillant. Les dernières lueurs du feu les faisaient briller.

Nonchalamment, elle passa ses doigts sur les crocs jaunis. Pourvu, pensa-t-elle, que Mike ne soit pas somnambule !

— On pourrait boiter pendant des semaines si on butait contre ton crâne et qu'on se prenait le pied dans tes mâchoires ! dit-elle.

Nounours ne répondit rien et elle s'en réjouit. Elle n'aurait jamais osé avouer à Mike qu'elle entendait des voix ici aussi !

Elle se releva et alla inspecter le couloir. Il n'y avait rien ; de ce côté, on n'entendait même pas le murmure du vent de la mer.

Elle revint au milieu de la chambre et alla s'asseoir sur le bord du lit. Maintenant qu'elle avait confié son effroi à Mike, elle se détendait. Elle bâilla une fois... une seconde fois... Finalement, elle pensa que cela ne ferait de mal à personne si elle essayait la qualité d'un oreiller.

Une fois la courtepointe de velours fané repliée, les longs oreillers dans leurs taies de toile neigeuse furent une agréable surprise. Evidemment, Mme Reese les avait convenablement « aérés ».

Carolyne repoussa la courtepointe plus loin encore et retira ses chaussures avant de mettre ses pieds sur le couvre-pied. Elle pouvait aussi bien se reposer pendant que Mike attendait dans sa chambre. Ses paupières retombaient... Elle se pencha pour tirer la courtepointe sur ses jambes. Il faisait plus chaud sur ce lit. Probablement, pensa-t-elle vaguement, parce qu'il y avait un lit de plumes sur le matelas.

Elle y enfonça ses épaules. Elle eut l'impression de sombrer dans un creux délicieusement chaud.

« J'aurais dû essayer ça plus tôt », pensa-t-elle.

Elle éprouva un instant de remords pour Mike qui n'avait pas eu le temps de l'essayer du tout. Sans doute avait-il arpenté la chambre regrettant que sa belle Gina fût si loin. Cette idée fit ouvrir tout grands les yeux de Carolyne et elle leva la tête pour mieux disposer l'oreiller. A coups de poings, elle fit un creux dans la plume et décida de reléguer au fin fond de son esprit tout souvenir de l'Italienne. Elle n'avait qu'à penser à quelqu'un d'autre.

Remettant sa tête sur l'oreiller, elle passa en revue les gens auxquels il serait agréable de penser et elle se décida pour Hugh.

Il est agréable d'allumer une étincelle dans les yeux d'un homme, — particulièrement un homme aussi présentable qu'un diplomate britannique. Après avoir subi l'indifférence de Mike pendant deux jours, la visible admiration de l'Anglais était doublement bienvenue.

Elle s'indigna en se rappelant le rapide « bonsoir » d'Hugh après qu'il lui eût apporté la bouillotte : il serait certainement resté plus longtemps si Mike n'était pas demeuré là sévèrement à surveiller !

C'était inévitable, pensa la jeune fille. Il lui faudrait dire à Mike qu'elle était parfaitement capable de se débrouiller seule. Quand il aurait compris cela, tout serait différent.

Ce fut sur cette pensée, un sourire d'anticipation aux lèvres, que Carolyne s'endormit.

Elle n'avait aucune idée de l'heure quand elle sentit la main de Mike qui lui secouait l'épaule.

— Carolyne ! Réveillez-vous ! Il faut vous en aller d'ici ! murmura-t-il impérieusement.

Les paupières de la dormeuse se relevèrent à demi.

— Pourquoi ? Vous avez trouvé le fantôme ?

Le sommeil lui rendait la voix pâteuse.

— Je n'ai rien trouvé sinon une souris dans le fond d'une de ces sacrées armoires ! grommela l'Américain.

— Il s'est peut-être sauvé à travers le mur.

Elle tourna le dos.

— J'ai tellement sommeil... Allez-vous-en.

De nouveau, la main secoua l'épaule.

— C'est vous qui allez partir ! C'est *mon* lit, rappelez-vous ?

— Je ne vais pas retourner dans cette chambre cette nuit. Et vous feriez bien de ne pas y retourner non plus : imaginez ce que penserait Hugh s'il vous y trouvait demain matin ?

Le manque de logique de ce raisonnement lui échappait totalement, c'était visible.

Les sourcils joints, Mike regarda le corps allongé.

— Alors... Que diable voulez-vous que je fasse ?

Il n'espérait pas de réponse cohérente. Chose curieuse, il en reçut une.

— Vous mettre au lit, je suppose.

Elle était plus qu'à moitié endormie.

— Ce lit est assez large pour une armée. Première fois que j'ai chaud ce soir. Ça va bien, Mike...

Elle était abominablement sincère.

— Vous ne risquez absolument rien. Gina n'aura pas besoin de savoir. B'soir.

Sa main tâtonna, puis tira la courtepointe sur ses épaules.

Mike resta figé sur place, le visage reflétant des émotions violentes. Ah ! Il ne risquait absolument rien ! Et à l'entendre, on pouvait prendre ça pour un compliment ! Comme si un homme avait envie d'être ainsi rassuré ! Il était déchiré par le désir de la faire lever de force et de... Il avait le choix entre des possibilités qui la laisseraient pantelante !

Il resta là une minute encore, appuyé contre la colonne qui soutenait le ciel de lit comme s'il avait besoin d'un soutien, lui aussi. Puis il se détourna et évita de se regarder dans le miroir accroché au mur.

Un succès pour Mlle Drummond. Pour la première fois depuis des années, Michael Evans, en dépit des apparences qui tendaient à prouver le contraire, émergeait vaincu d'une escarmouche l'opposant à une femme.

CHAPITRE V

Ce furent les coups frappés à la porte qui réveillèrent Carolyne le lendemain matin. Des coups discrets mais persistants qui pénétrèrent finalement les épaisseurs du sommeil et lui firent ouvrir les yeux.

Son premier geste lui fit se cogner la tête contre quelque chose qui ressemblait à une borne de ciment. Encore engourdie, elle se dressa sur ses coudes et tenta de comprendre ce qui se passait. Ses yeux noisette fixèrent d'étranges yeux noirs, à trois pouces de son visage. Complètement désorientée, elle distingua deux crocs jaunes qui menaçaient sa main.

Sa bouche s'ouvrait pour livrer passage à un hurlement qui aurait secoué le château jusqu'en ses fondations quand Mike se réveilla de l'autre côté du lit et comprit la situation en un éclair. Sans un mot, il tendit une main et lui enfonça la tête dans l'oreiller, le nez en dessous, coupant net le cri naissant.

Les coups redoublèrent.

— Monsieur Evans ?

Une vieille voix venait du couloir.

— Vous n'êtes pas malade, monsieur ?

Mike remarqua que l'épouvante de Carolyne avait disparu, même si elle se débattait pour sortir son visage de l'oreiller. A en juger par l'éclat de ses yeux, la terreur s'était brusquement transformée en colère.

— Taisez-vous ! siffla-t-il, et j'enlève ma main. Ne racontez pas à tout le pays que vous avez passé la nuit ici !

Le combat — Mike le remarqua avec soulagement — s'arrêta net.

— Monsieur Evans ?

Discrètement, on faisait vibrer le pesant verrou.

— J'ai votre thé, monsieur.

Mike bondit d'un côté du lit tandis que Carolyne se glissait de l'autre pour se dégager de la courte-pointe qui était fermement maintenue au milieu du lit par la forme roulée de Nounours, sa grosse tête placée entre les deux oreillers, il ressemblait à un ivrogne souffrant de la gueule de bois le lundi matin après un week-end de carnaval.

— Je viens tout de suite, cria Mike à l'adresse du domestique.

— Si vous vouliez seulement ouvrir la porte, monsieur...

— Une minute.

Mike retira le pull over avec lequel il avait visiblement dormi et endossa fébrilement une robe de chambre après avoir fouillé dans sa valise.

— Vous n'allez tout de même pas le laisser entrer !

Carolyne s'en évanouissait presque d'épouvante.

— Il le faut bien...

— Mais... où puis-je me mettre ?

L'Américain regarda autour de lui. Il suggéra :

— Sous le lit ?

La jeune fille se mit à genoux et se releva aussi vite.

— Il n'y a pas la place et c'est plein de poussière ! dit-elle.

— La poussière... qu'est-ce que ça peut faire ? riposta Mike avec impatience. Ça va... Attendez que je réfléchisse...

Son regard tomba sur la grande armoire près de la fenêtre. Il la montra du geste.

— Vite ! Là-dedans !

Carolyne eut l'impression d'être un lapin disparaissant dans son terrier en se précipitant vers l'armoire dont Mike ferma la porte derrière elle. A travers un interstice, elle le vit se diriger vers la porte du couloir, puis s'arrêter près du lit, tirer rapidement la courtepointe de son côté et rectifier l'oreiller pour lui rendre à peu près sa forme primitive, et enfin aller ouvrir en passant une main dans ses cheveux ébouriffés.

L'homme qui se tenait là paraissait taillé dans la pierre. De taille moyenne, il avait de larges épaules sous une veste blanche amidonnée. De rares cheveux grisonnants étaient coiffés en arrière d'un large front, mais ses sourcils épais ressortaient au-dessus de ses yeux bleus. Son visage rougi par la vie au grand air et ses mains brunes et musclées contrastaient singulièrement avec le plateau d'argent qu'il portait.

Lorsqu'il parla, ce fut d'une manière cérémonieuse.

— Bonjour, monsieur Evans. Je suis Reese. Sir Hugh a pensé que vous aimeriez une tasse de thé à votre réveil.

— Oui, certainement.

Michael ouvrit la porte et lui fit signe d'entrer.

— C'est très aimable à vous. Posez ça n'importe
où.

Lentement, le sens des paroles du régisseur pénétra son esprit.

— Vous avez dit sir Hugh ?

— Oui, monsieur.

Reese posa le plateau sur la table de chevet.

— Sir Hugh a hérité du titre voici deux ans, avec
le château, mais il vient de rentrer de l'étranger la
semaine dernière. Il espérait que le château serait
vendu à ce moment-là.

Impossible de deviner, à l'expression de Reese,
ce qu'il pensait de la vente éventuelle.

— Excusez-moi si je n'étais pas là hier soir
pour vous assister, mais le Maître dit qu'il a trouvé
à peu près tout ce qu'il fallait. J'espère que vous
n'avez pas été dans l'embarras.

Mike jeta un bref coup d'œil sur l'armoire.

— Non, pas du tout, dit-il.

— J'espère que vous avez eu assez chaud ?
s'enquit discrètement le régisseur.

— Oui, bien sûr. Pourquoi ?

L'homme fit un geste bref mais éloquent en direction de la peau d'ours roulée posée au milieu du lit.

Dans son armoire, Carolyne refoula un gémissement avec peine. Comment diable Mike allait-il se
tirer de cela ?

L'Américain se posait la même question.

— Oh... ! dit-il. Ça ?

— Oui, monsieur.

— Eh bien... Je n'allais pas vous en parler,
Reese, mais il y avait un courant d'air dans la
chambre après que le feu se soit éteint. J'aimerais
que vous n'en disiez rien à monsieur Lyons... euh...
sir Hugh. Ce soir, cela ira certainement mieux.

Les paupières de Reese battirent.

— Certainement, monsieur. Je veillerai à ce qu'il y ait suffisamment de bois pour le feu. Il y a également un petit radiateur dans l'armoire pour chauffer davantage. Je vais l'installer...

Mike s'empressa de lui barrer le chemin.

— Non ! dit-il vivement. Il ajouta impérieusement :

— Je ne veux pas que vous vous donniez cette peine. Pour le moment, je suis tout à fait bien.

Dans l'armoire, Carolyne s'adossa au bois rugueux, toute molle de soulagement. Si elle finissait par sortir de là sans dommage, jamais plus elle ne quitterait sa chambre !

Reese haussa les épaules.

— S'il en est ainsi, monsieur... Comme vous êtes à moitié vêtu, je pensais que vous aviez peut-être froid.

— Pas du tout.

Le succès rendait Mike expansif.

— Cette heure est la meilleure de la journée. J'aime me lever tôt.

— J'espère que mademoiselle Drummond va bien aussi ?

— Mademoiselle Drummond ? Que voulez-vous dire ?

— Elle n'a pas répondu quand j'ai frappé à sa porte.

Le regard de Reese était plus alerte que jamais.

— Il ne semblait pas qu'on ait dormi dans le lit.

Mike se réfugia dans une expression de dignité offensée.

— Vraiment, Reese, il y a certainement à cela une explication toute simple. Nous n'avons guère

le droit de nous mêler des affaires... euh... des actes
de mademoiselle Drummond.

— Certainement pas, monsieur.

Le ton de Reese prouvait que la dignité n'est pas
réservée aux Américains.

— Je n'en aurais rien dit, monsieur, si une
madame Sheppard n'était pas arrivée en la demandant. Sir Hugh se promène à cheval de sorte que
je n'ai pas pu l'interroger.

— Je suis sûr qu'il y a là une explication toute
simple...

Mike s'aperçut qu'il se répétait. Il essaya autre
chose.

— Mademoiselle Drummond est probablement
allée faire un tour. Elle admirait vivement ce pays
hier quand nous sommes arrivés. Quant au lit... Il
est fort possible qu'elle ait dormi dans un fauteuil
près du feu. Elle disait qu'elle était gelée plus tôt
dans la soirée.

L'idée qu'un hôte du château ait pu être incom-
modé consternait visiblement le vieux serviteur.

— Oh ! J'espère que non, monsieur Evans ! Je
vais m'assurer que ma femme aère soigneusement
les lits aujourd'hui.

— Ne vous tourmentez pas, dit Mike.

Il s'approcha du plateau.

— A quelle heure le premier déjeuner est-il
servi ? demanda-t-il.

— Généralement à huit heures trente, monsieur,
si cela vous convient.

Reese se dirigea vers la porte.

— Je vais dire à madame Sheppard que mademoiselle Drummond sera probablement rentrée à ce
moment.

— J'en suis certain.

Cette fois, Mike parlait sur un ton tout à fait convaincu.

— Très bien. Si vous avez besoin de quelque chose, monsieur, il y a là une sonnette qui correspond à la cuisine.

Il indiquait une bande de tapisserie qui pendait près de la porte. Mike souleva la théière.

— Parfait, merci, dit-il. Je ne pense pas avoir besoin de rien avant déjeuner.

Reese salua d'un air satisfait, se permit un autre regard dubitatif sur la forme de Nounours allongée sur le lit et sortit.

Mike, littéralement sur ses talons, tira le verrou derrière lui, puis il se tourna vers une Carolyne assez pâle qui émergeait de l'armoire. Elle tituba jusqu'au lit.

— Seigneur ! Que cela sentait l'antimite là-dedans ! Je crois être antimitée pour la vie !

Mike lui tendit la tasse de thé.

— Tenez : voilà qui vous réconfortera.

— Vous n'en voulez pas ? demanda-t-elle en tendant une main hésitante.

— J'aurais autant aimé du café, mais il y a du thé pour nous deux : j'ai un verre à dents dans la salle de bains.

— Ne vous en faites pas : je vous rends la tasse dans une minute.

Elle but rapidement.

— Il faut que je sorte d'ici ! On pourrait croire, avec tous ces couloirs et toutes ces chambres, qu'une personne aurait un peu de liberté pour aller et venir !

Mike leva les sourcils. Elle continua, se défendant :

— Comment aurais-je pu savoir que ce régisseur

contrôlait les lits ? Je suis sûre que vous ne l'avez
pas convaincu avec votre explication de la présence
de cette peau d'ours ! Pourquoi diable Nounours
est-il au milieu de ce lit ?

— Je n'ai pas trouvé d'autre solution pour partager le lit en deux. Comment aurais-je pu savoir
que vous alliez vous réveiller en hurlant quand vous
avez vu une autre tête sur l'oreiller ? Pourtant, j'ai
dormi *sur* les couvertures, ajouta-t-il vertueusement.
Je n'allais certainement pas coucher sur ce fichu
machin de bois qu'ils traitent de fauteuil. Après
tout, *c'est ma* chambre !

— Quelle galanterie !

Carolyne s'efforçait de garder l'air digne, mais
c'était difficile avec un visage non lavé, des cheveux non coiffés et des vêtements froissés. Sa décision d'usurper le lit de Mike, qui lui semblait toute
naturelle à minuit, se changeait en conduite scanda-
leuse à la grise lumière du matin. Elle ne pouvait
pas honnêtement lui reprocher d'être furieux, après
cette séance avec Reese.

Elle donna une petite tape sur la tête de Nounours avant de gagner la porte.

— Je ne sais pas quelle réputation vous vous
efforcez de sauvegarder ! dit-elle, incapable de retenir
une dernière flèche avant de sortir.

— Si vous ne le savez pas, gronda Mike, je ne
vais certainement pas vous le révéler.

Mieux valait feindre de n'avoir pas entendu.

— Je ferais mieux d'aller m'habiller correcte-
ment, dit-elle.

Elle s'efforçait de sortir en beauté.

— Faites cela et tâchez d'être à l'heure pour le
déjeuner, dit Mike. Ce serait bien que vous ayez

l'air d'aimer les promenades au petit matin, et de revenir de l'une d'elles.

— Je me laverai la figure à l'eau froide, dit sèchement Carolyne, et si j'ai le temps, je ferai un tour au galop dans le couloir et le salon en allant à la salle à manger.

Elle tira les verrous de la porte et commença à l'ouvrir.

— C'est bête que j'aie laissé mes chaussures de marche en Amérique, mais personne ne pourra savoir si je n'ai pas guetté les oiseaux depuis six heures du matin.

— Non, personne ne le saura, ma chatte.

La femme d'âge moyen qui se tenait au seuil de la porte les salua avec désinvolture.

— Ainsi, voilà ce qui arrive quand je vous perds de vue pendant trois jours ! dit-elle. Et je croyais que les Anglais n'allaient pas vite en besogne !

Elle fit pivoter Carolyne pour l'obliger à rentrer dans la chambre et en referma la porte derrière elles.

— Cette histoire ne plaira pas beaucoup au vieil Henry, dit-elle.

— Liz... vous vous trompez du tout au tout ! s'écria Carolyne. Il y a une explication toute simple à l'histoire en question.

— Je l'espère sincèrement, répliqua Liz.

Elle croisa les bras sur sa poitrine et se tourna vers Mike.

— Je ne sais trop ce qu'est l'étiquette dans ce genre de situation, mais je suis Liz Sheppard.

— J'avais compris cela, répondit Mike avec flegme. Mon nom est Evans, Michael Evans.

Le visage de Liz Sheppard était facile à lire, avec un grand front et d'épais cheveux grisonnants qui avaient tendance à retomber sur le front en question. Son corps massif était vêtu d'une jupe de tweed cher mais mal choisi et d'un blazer de laine blanche, l'ensemble lui donnant l'air d'un poteau.

Mike, après lui avoir jeté un regard rapide, revint à ses yeux gris clair et oublia le costume sans grâce. Ces yeux intelligents et magnifiques recelaient un éclair d'humour qui se retrouvait sur la bouche bien dessinée.

Mike salua mentalement ; voilà une femme qui devait pouvoir se jouer de toute opposition. Il était facile de comprendre pourquoi elle était première secrétaire d'un homme riche et puissant comme Henry Lyons.

Visiblement amusée par le regard observateur qui la jugeait, mais non encore prête pour un traité de paix, elle déclara :

— On aurait dû vous avertir, monsieur Evans. Carolyne ne joue pas à ce genre de jeux.

Mike feignit de ne pas entendre la sourde exclamation de la jeune fille.

— Je sais cela, madame Sheppard, dit-il.

Il se gratta la nuque.

— Pourquoi ne vous informez-vous pas du jeu qui était, ou non, prévu, avant d'en siffler la fin ? demanda-t-il.

Le regard aigu de la nouvelle venue fit le tour de la pièce, nota la peau d'ours toujours roulée au milieu du lit, l'accoutrement froissé mais volumineux de Carolyne, et les coins de ses lèvres se relevèrent davantage. Ses yeux revinrent à l'Américain.

— Ou bien je dois vous prier de m'excuser, dit-elle, ou bien les méthodes de séduction ont bien changé depuis ma jeunesse.

Cette franche déclaration fit grincer les dents de Carolyne.

— Impossible de discuter avec vous ! grogna-t-elle.

— Caro, mon chou, ne soyez pas idiote ! dit Liz. Dans le costume que vous portez, toute femme demeurerait pure comme neige. Vous ressemblez à un meuble d'une expédition polaire.

Elle alla s'asseoir dans le fauteuil de chêne. Mike vola au secours de Carolyne.

— Quand vous aurez passé une nuit dans ce château, madame Sheppard, vous comprendrez tout !

— Froid ?

— Comme le pôle en décembre !

— Puisque vous en êtes à discuter la température et que vous en avez terminé avec ma moralité et mes vêtements..., commença Carolyne d'un ton menaçant.

— Je n'ai pas terminé du tout, répliqua Liz. Où étiez-vous quand Reese a apporté le thé ? Vous n'aviez certainement pas la place de vous cacher, ainsi habillée, sous la peau d'ours ?

— Sans jeu de mots, madame Sheppard, vous chauffez ! dit Mike en souriant largement.

— Dites Liz, riposta la secrétaire. Il faut que je rattrape le temps perdu.

— Très bien, Liz. Jetez donc un coup d'œil sur cette armoire.

Liz se leva et alla inspecter l'intérieur du monument de chêne.

— Les Marx Brothers tiendraient facilement là, dit-elle.

— Croyez-le ou non, ils n'étaient pas là avec moi ce matin, dit Carolyne en se dirigeant vers la porte. Vous n'avez pas besoin de moi pour cette discussion... et je voudrais me changer.

— Vous ferez bien, petite, répondit Liz. Ne faites pas de chichis, je viens avec vous. Reese n'y comprendrait rien s'il me trouvait dans la chambre de votre Michael quand il viendra chercher le plateau du thé.

— Ce n'est *pas* « mon » Michael !

L'objet de la conversation, penché sur sa valise, choisissait une cravate avec le plus grand soin.

— Carolyne peut vous expliquer cela, dit-il.

— Je vais le faire, mais pas ici.

Fermement, la jeune fille entraîna Liz vers la porte.

— Jetez d'abord un regard sur le couloir, conseilla-t-elle.

— Bonne idée. Mieux vaut que Reese ne vous trouve pas rentrant de votre promenade matinale via la chambre de Michael.

Elle disparut dans le couloir. Carolyne appuya sa tête contre la porte avec lassitude.

— Je commence à croire que je ne sortirai jamais d'ici ! dit-elle. Jamais plus je ne mettrai le pied dans une chambre d'homme !

Derrière elle, Mike grommela quelque chose. Elle se retourna.

— Vous dites... ?

Mike s'arrêta devant la porte de la salle de bains.

— Je disais que vous ne devriez pas prendre ce genre d'engagement, dit-il. Vous pourriez changer d'avis.

— Ce jour-là...

— Ce jour-là, croyez-moi, vous ferez mieux d'attendre une invitation.

La porte claqua derrière Carolyne avec un bruit

qui dut s'entendre jusque dans les oubliettes du château. Le sourire de Mike s'accentua. Il entra dans
la salle de bains et disposa ses affaires de toilette
sur le lavabo. La demoiselle allait méditer cela un
moment. Elle apprendrait qu'il n'est pas prudent de
dire à un homme qu'il ne risque rien, de cette
manière désinvolte.

De toute façon, il faudrait plus qu'un éventuel
fantôme ou une longue nuit glaciale à Lyonsgate
pour l'inciter à revenir le déranger.

Cette vérité le frappa soudain et son sourire
s'effaça. Du diable s'il n'avait pas été encore plus
idiot qu'elle !

Tristement, il contempla le triste paysage par
l'étroite fenêtre.

Quand elle arriva dans sa chambre, Carolyne
n'était pas d'humeur plus joyeuse. Elle se laissa
tomber sur le fauteuil et regarda la cheminée sans
feu. Liz entra, feignit de regarder le paysage, puis
se retourna.

— Je suis encore pleine de curiosité, dit-elle.

— Liz, je vous aime tendrement, mais cela ne
vous donne pas le droit de vous mêler de ma vie
privée. Pas plus qu'au vieil Henry, du reste.

Liz accueillit ces paroles avec l'ironie qu'elles
méritaient.

— Tâchez de répéter ça avec plus de conviction,
mon lapin.

— J'ai vingt-quatre ans, et...

— Et j'en ai quarante-neuf passés, alors ne montez pas sur vos grands chevaux.

Elle s'adossa au mur.

— Où avez-vous trouvé cet individu ? Je dois
dire que je le trouve très à mon goût.

Carolyne la regarda avec stupeur.

— Je croyais que vous alliez me faire un ser-
mon et vous vous conduisez comme une veuve
effrontée !

— Je *suis* une veuve effrontée, ne l'oubliez pas.
Alors, écoutez vos aînés. Une fille comme vous
devrait se marier... Ne pas se faire prendre, habillée
comme vous êtes là, dans la chambre d'un jeune
homme !

Carolyne passa une main sur son front.

— Je ne sais pas si vous m'attrapez parce que
j'étais dans la chambre en question ou parce que
j'avais trois épaisseurs de vêtements sur le dos !

Liz repoussa les cheveux de son front et lui sourit.

— Je n'en sais rien moi-même, dit-elle. Heureusement, maintenant que je suis là, la situation ne
se reproduira pas. Même monsieur Evans ne se ris-
quera pas à essayer de répéter son invitation.

Carolyne devint écarlate.

— Il ne m'a pas invitée, dit-elle avec effort.
S'il l'avait fait, je n'y serais certainement pas allée.

— Si vous repreniez au début ? suggéra Liz. Je
suis perdue.

— J'ai entendu des bruits, hier soir... dans les
murs, ou sous le parquet... je ne sais pas où exactement, commença la jeune fille.

Elle vit l'expression sceptique de son amie.

— Bon, riez tant que vous voudrez ! *Il y avait*
des bruits !

— Alors vous n'avez pas voulu attendre que le
fantôme traverse le mur et vous prenne par les
cheveux.

— Très drôle ! Attendez ce soir et vous verrez !

— Ma chambre est en bas.

— Certainement pas, déclara Carolyne énergiquement. Reese apportera un lit de camp ou ce qu'il voudra pour moi et vous prendrez le lit... Je vous en *prie*, Liz. Je *sais* que j'ai entendu quelque chose.

Le ton suppliant adoucit Liz.

— Eh bien... nous verrons. Nous devons au vieil Henry de savoir si son château est complet, avec le fantôme traditionnel.

Elle désigna la fenêtre du geste.

— Pour être sincère, j'ai vu des demeures plus plaisantes que cette vieille bâtisse. Je ne savais pas qu'elle était perchée au sommet d'une falaise sur une côte aussi sauvage.

Carolyne hocha la tête d'un air convaincu.

— Il ne manque qu'un chien hurlant à la mort et un bon brouillard : hier soir, Hugh a appelé ça une brume légère..., mais lui-même reconnaît qu'il préfère la vie nocturne de Londres.

— Je ne le blâme pas : après des années aux Indes, Lyonsgate ne semble pas l'endroit rêvé pour les vacances d'un jeune homme !

— Vous l'avez vu ?

— Ce matin, en arrivant à l'aube. Il partait à cheval.

Elle jeta un coup d'œil de biais à Carolyne.

— Il est beau garçon. Pas aussi remarquable que votre Michael, mais...

— Je vous répète que ce n'est pas « mon » Michael ! Ce n'est jamais qu'un compatriote qui m'a dépannée sur la route quand ma voiture a refusé de rouler davantage.

— Près d'ici ?

Carolyne, gênée, se tortilla sur son fauteuil.

— Non. Du côté de Bath. Il m'a dit qu'il avait des vacances à prendre et il m'a offert...

Elle s'interrompit, puis avoua :

— Je lui ai demandé de m'amener ici.

La physionomie de Liz lui fit ajouter précipitamment :

— Je lui ai demandé ça sur un plan strictement commercial. C'est pour ça que vous vous êtes trompée en nous voyant ensemble ce matin. Il a une amie en Amérique : une Italienne rousse appelée Gina. Une de ces filles plantureuses...

— La description est de lui ou de vous ?

Carolyne pinça les lèvres.

— En tout cas, il est absolument toqué d'elle.

— Dommage. J'aime bièn ses épaules.

Carolyne s'interrompit brusquement et demanda :

— Quelle est cette histoire ? Hugh aurait un titre de noblesse ?

— Il l'a hérité, m'a expliqué Reese, parce que le tenant du titre a été tué dans un accident d'auto. Hugh ne cache pas son désir de vendre le château, il dit qu'il n'a pas de quoi l'entretenir.

— Il est un peu usé par endroits, admit Carolyne, mais il y a suffisamment d'argenterie, semble-t-il, pour payer les impôts d'une année.

— Les aristocrates anglais se croient ruinés quand ils en arrivent à leur dernier Turner, dit Liz. Mais je dois dire que ce n'est pas cet endroit que je choisirais pour y passer les week-ends.

— Alors ? Qu'est-ce qu'on dit au vieil Henry ?

— On lui dit la vérité. Il serait furieux s'il pensait que nous lui racontons des blagues. Cela ne gâtera rien si nous notons les factures de chauffage et le montant des impôts : mieux vaut qu'Henry soit au courant du pire.

— Combien de temps cela va-t-il nous prendre ?

— Trois ou quatre jours devraient suffire. Pourquoi ? Michael ne peut-il rester plus longtemps ?

— Il pourrait peut-être... si cela ne l'empêche pas de voir les tournois à Wimbledon. Vous pouvez lui poser la question.

Liz chercha une cigarette dans son sac.

— Il n'a pas l'air d'un tennisman de salon, dit-elle. Que fait-il d'autre dans la vie ?

— Je vous l'ai dit.

— **Je veux dire** d'autre qu'améliorer les relations italo-américaines ?

Liz alluma sa cigarette.

— Je croyais que vous deviez vous changer pour le déjeuner ? Vous feriez mieux de vous dé-pêcher !

Carolyne se leva avec ennui. Elle alla fouiller dans sa valise.

— Je sais, dit-elle. Y a-t-il de l'eau chaude aussi tôt le matin ?

Du doigt, Liz désigna le petit paquet qu'elle apercevait parmi les articles de lingerie.

— Qu'avez-vous acheté ?

— Un carreau de céramique-souvenir. Regar-dez-le. Mike... je veux dire monsieur Evans me l'a acheté.

— Vous pouvez bien l'appeler Mike. Nous som-mes tous de vieux amis ! dit Liz.

Une fossette se creusait dans sa joue.

— Je ne sais pas comment je peux vous sup-porter ! grogna Carolyne. Vous et le vieil Henry...

Elle mit sur son bras un pantalon vert olive et une veste bleu marine.

— Croyez-vous que Hugh approuve le pantalon au petit déjeuner ?

— Nous pensons lui faire vendre son château, dit Liz. Comme il désire nous le faire acheter, je pense qu'il approuvera.

Elle enveloppa le carreau de faïence et le remit dans la valise.

— J'aime beaucoup votre souvenir, dit-elle.

— Il est bien, n'est-ce pas ?

Carolyne s'arrêta au seuil de la salle de bains.

— Liz... avez-vous jamais vu une cuillère d'amoureux ?

— Je ne crois pas... Mike vous en aurait-il acheté une aussi ?

— Bien sûr que non. Il en a acheté une pour son Italienne.

— Alors, pourquoi cette question ? Vous êtes un peu drôle ce matin, ma fille. On dirait que quelque chose vous a dérangé l'esprit.

— Franchement, Liz... ! Vous n'y comprenez absolument rien !

Liz regarda un moment la porte de la salle de bains refermée derrière sa jeune collègue. Une expression très douce éclairait ses yeux.

— Je crois que si, ma chère petite, murmura-t-elle. Je crois vraiment que si...

CHAPITRE VI

Le petit déjeuner prit l'allure d'une réception à la campagne, comme si tous les convives avaient résolu de montrer leur meilleur aspect. Le résultat fut aussi plaisant qu'inattendu.

Le feu crépitant au fond de la salle à manger ajoutait une note joyeuse à l'ambiance générale et aidait à dissiper la tristesse née du ciel plombé qu'on voyait derrière les fenêtres.

Assis au bout de la table, Hugh faisait les honneurs.

— Thé ou café ? demanda-t-il.

— Café à cette heure-ci, répondit Liz. Devons-nous nous servir nous-mêmes des plats qui sont sur le dressoir ?

— Oui. Venez, je vais vous faire voir.

Hugh alla au meuble de vieux chêne sculpté et souleva les couvercles d'argent.

— De ce côté-ci, ce sont des fruits. Plus loin, les œufs et la viande. Reese va vous apporter votre café. Heureusement que vous êtes arrivées toutes les deux, Michael et moi étions près de nous évanouir de faim.

— C'est ma faute, dit Carolyne. Je vous en prie, continuez : Liz et moi vous rattraperons.

Elle choisit des pêches coupées en morceaux et en mit sur une assiette. Liz préférait des poires.

— J'espérais que vous diriez cela, répliqua Hugh.

Il souleva un autre couvercle.

— Que voulez-vous, Michael ? Des tranches de bacon ou des langues d'agneau frites ?

Une cuillère tomba des mains de Mike et résonna sur la table. Il se pencha pour la reprendre, évitant le regard des deux femmes. Leurs visages étaient courtoisement figés.

— Du bacon s'il vous plaît, dit-il en se redressant. Deux ou trois tranches.

— Comme vous voudrez. Vous verrez, madame Reese est très bonne cuisinière. Elle sait faire à peu près tous les plats. Sauf le riz.

— N'aimez-vous pas le riz ? demanda Carolyne.

— Après des années à Burma et quatre autres années qui m'attendent à Hong Kong, je frissonne quand je vois un grain de riz, déclara Hugh avec bonne humeur. Des œufs brouillés ? offrit-il à Mike.

— Merci beaucoup, dit l'Américain en tendant son assiette.

Hugh remplit la sienne de langues d'agneau et tous allèrent reprendre leurs places autour de la table.

— Et voilà madame Reese avec les toasts, dit Hugh.

Carolyne regarda avec curiosité la mince femme en noir qui entrait avec son mari. Elle avait les cheveux blancs, mais ses sourcils restaient noirs comme ses yeux. A part une légère teinte rouge sur ses pommettes, Mme Reese avait l'air d'un croquis au crayon, seulement constitué d'ombres et de parties

claires. Sans regarder personne, elle disposa des porte-
toasts garnis devant chaque convive.

— Merci, madame Reese, dit Hugh.

Elle répondit d'un petit signe de tête et s'en
alla. Son mari remplit les tasses de café et la suivit.

— Vous ne pourrez pas faire la conversation avec
madame Reese, dit Hugh, elle ne parle que le gallois, bien qu'elle comprenne un peu l'anglais. Heureusement, son mari peut faire l'interprète.

— Sont-ils les seuls à travailler au château ?
demanda Carolyne.

— Des femmes de journées viennent faire le ménage et un jardinier vient de temps en temps, dit
Hugh. Rappelez-vous que Lyonsgate est fermé depuis
des années.

— C'est vrai ! J'oubliais que vous venez seulement de revenir chez vous.

— A peine ai-je l'impression d'être chez moi,
même à présent, dit l'Anglais avec mélancolie. Un
des inconvénients de la diplomatie est que la plupart d'entre nous ont l'impression d'être des réfugiés
entre leurs postes à l'étranger.

— J'ai entendu dire cela en effet, dit Mike, par
des Anglais qui avaient vécu et travaillé en Afrique
et en Malaisie au temps des colonies. Depuis des
années, ils n'étaient revenus en Angleterre que pour
quelques semaines de congé.

Hugh soupira.

— C'est comme le vieux dicton, déclara-t-il.
« Nous nous battrons pour l'Angleterre, nous mour-
rons pour elle s'il le faut, mais ne nous obligez pas
à vivre dans ce sale climat ! »

Il se tourna en riant vers Liz et Carolyne.

— Cette plaisanterie est largement édulcorée
pour convenir aux oreilles féminines !

Liz arrêta sa cuillère à mi-chemin de sa bouche.

— Aussi, je ne reconnaissais pas la version originale !

— Pour reparler du travail au château, dit Carolyne d'un ton décidé, êtes-vous sûr, Hugh, que Reese n'embauche pas un extra pour se faire aider la nuit ?

Hugh secoua la tête.

— Non... je ne crois pas. Pourquoi aurait-il besoin de quelqu'un à ce moment-là ?

— Carolyne s'est inquiétée de bruits qu'elle a entendus pendant la nuit, expliqua Mike. Peu de temps après que nous ayons été nous coucher.

Les épais sourcils d'Hugh se rapprochèrent.

— Je ne comprends pas. Quel genre de bruits ?

— C'est difficile à décrire, dit Carolyne. Des espèces de coups... de chocs... D'abord, je n'y ai pas fait très attention, mais quand j'ai entendu un gémissement...

Il y eut un bruit métallique derrière eux et tous se retournèrent pour voir Reese à genoux par terre, ramassant des cuillères tombées. Il leva les yeux d'un air embarrassé.

— Je vous demande pardon, sir Hugh.

— Aucune importance, Reese. Vous arrivez juste au bon moment. Mademoiselle Drummond nous disait qu'elle a entendu des bruits pendant la nuit ? Avez-vous entendu quelque chose ?

Reese se releva avec quelque peine et pencha la tête de côté comme pour se concentrer.

— Je ne vois pas ce que cela pouvait être, mademoiselle. Mais le vent de mer siffle souvent autour des fenêtres.

Carolyne regrettait d'avoir abordé le sujet.

Reese regarda Mike.

— Avez-vous entendu quelque chose, monsieur ?

— Non, répondit l'Américain de mauvaise grâce.
Rien du tout.

Liz vit l'expression ennuyée de Carolyne et elle
intervint.

— Il y a souvent des bruits étranges dans les
vieilles habitations, dit-elle. Je suis sûre que monsieur Lyons serait passionné à l'idée qu'il y a peut-
être ici des souterrains secrets. Tous les châteaux
n'ont-ils pas des cachettes à prêtres ou des couloirs
mystérieux ?

Hugh tendit la main vers la marmelade d'orange.

— Ce n'est pas impossible, dit-il. Nous avons
encore à Lyonsgate une cuve qui servait à verser de
l'huile bouillante du haut d'un mur, mais je crois
que notre dernier souterrain a été muré au début
du siècle, n'est-ce pas, Reese ?

— Oui, monsieur. Si vous vous en souvenez,
c'était après les dernières histoires de contrebande
dans le **pays.**

— Ainsi, il y avait un souterrain ? s'exclama
Carolyne.

— Oui, mademoiselle Drummond.

Reese rangeait soigneusement les couverts sur
un plateau.

— Il conduisait de l'aile ouest du château à la
plage. Naturellement, après que cette partie du château ait été détruite par un incendie, le souterrain
a été mis hors de service. En l'année 1908, n'est-ce
pas, sir Hugh ?

— Vous le savez mieux que moi.

Hugh but un peu de café.

— Je regrette, Carolyne, mais les fantômes auraient bien des difficultés pour hanter le château à

l'heure actuelle. Le seul endroit officiellement hanté du voisinage est le château de Caerphilly.

— En effet, sir Hugh, confirma Reese. C'était une princesse française qui habitait le château au temps du roi Henry II. On l'appelle la Dame Verte.

— Que lui est-il arrivé ? demanda Liz.

Reese serra les lèvres d'un air pensif.

— Son mari l'a renvoyée en France après qu'elle soit tombée amoureuse d'un prince gallois nommé Tew Teg. Après sa mort sur le continent, on dit qu'elle revient pour chercher son bien-aimé.

— Apparemment, ces amoureux ont quelque peine à se réunir, expliqua Hugh, car la Dame Verte erre encore dans Caerphilly après des siècles. Nous n'avons rien d'aussi romanesque ici à Lyonsgate, j'en ai peur. Tout ce que je peux faire est vous montrer le secret de notre chapelle familiale : l'endroit où mes ancêtres cachaient les bijoux de famille... quand il y en avait encore à cacher, ajouta-t-il tristement.

— Voilà pour vous, Carolyne ! Vous aurez votre mystère finalement, dit Liz pour tenter d'égayer l'atmosphère. Mais j'ai aussi une question à vous poser, Reese. J'aimerais savoir comment votre femme donne ce parfum délicieux à ses fruits en conserve : y ajoute-t-elle un soupçon de gingembre ?

— Je le lui demanderai, madame Sheppard ! dit le régisseur radieux. Je suis sûr qu'Helen vous donnerait sa recette si vous la désirez.

— Je la désire sans aucun doute ! Je descendrai à la cuisine après le déjeuner pour la chercher..., si vous n'y voyez pas d'inconvénient, Hugh ?

— Naturellement, vous pouvez parcourir le château tant qu'il vous plaira. Inspectez tous les cadavres de la famille cachés dans les placards si cela peut décider votre patron. Reese répondra à toutes les questions que vous lui poserez.

— J'en serai heureux, sir Hugh.

Le régisseur se dirigeait vers la porte de l'office.

— Si vous n'avez besoin de rien d'autre, monsieur ?...

— Assurez-vous seulement que la chapelle est ouverte pour que je puisse la faire visiter à mademoiselle Drummond.

— J'y vais tout de suite, monsieur.

La porte de l'office se referma.

— Eh bien ! dit Liz, voilà des occupations pour trois d'entre nous. Qu'allez-vous faire après déjeuner, Mike ?

— J'aimerais donner deux coups de téléphone.

— Servez-vous de l'appareil de mon bureau, dit Hugh. Vous y serez tout à fait tranquille.

— Je pense que vous voulez retenir vos places pour les tournois de tennis ? dit Carolyne.

Elle était encore furibonde de la dernière remarque de l'Américain dans sa chambre et elle pensait que cela ne ferait pas de mal de souligner l'inutilité de son existence.

— C'est une bonne idée, dit Mike aimablement. Merci de m'y faire penser.

Il se tourna vers Hugh.

— Mademoiselle Drummond sait que je compte aller à Wimbledon.

— Ne me dites pas que vous avez réussi à obtenir des tickets d'entrée ! s'exclama Hugh en se penchant en avant. Quelle veine vous avez ! Notez-le, je ne crois pas que l'Australien ait une chance de battre le Français, à moins d'avoir deux jeux très rapidement...

Sans plus attendre, les deux hommes se lancèrent

dans une discussion passionnée sur le proche tournoi de tennis et les deux femmes se retrouvèrent en dehors de la conversation. Seul le regard amusé que Mike jeta à Carolyne qui lui réclamait le pot de crème, fit comprendre à la jeune fille qu'il n'avait pas besoin des pages sportives des journaux pour lui rendre la monnaie de sa pièce.

Quant à Hugh, Carolyne vit à son expression ravie qu'il avait totalement oublié son invitation à lui faire visiter la chapelle.

Liz se pencha pour reprendre du café et chuchota au passage :

— Ça va bien, Caro. Nous pourrons toujours nous évanouir en sortant de table et rattraper ainsi leur attention. Mais acceptez le conseil d'une veuve vieillissante, ma chère : ne parlez jamais d'événements sportifs quand vous êtes avec un homme. Il est probable que même la Vénus de Milo restait oubliée sur son piedestal quand les Grecs discutaient des matches de lutte !

Carolyne but son café froid et bouillait en silence. Liz avait raison, mais si la Vénus restait dans son coin toute seule pendant une orgie grecque, c'était sûrement parce qu'un lointain ancêtre de Mike Evans avait un billet pour les courses à relais le même soir.

Finalement, en désespoir de cause, Carolyne repoussa sa chaise, murmura une brève excuse et quitta brusquement la table. Par bonheur, Hugh se rappela ses devoirs de maître de maison avant qu'elle n'atteignît l'escalier.

Il lui prit le coude, essoufflé d'avoir couru derrière elle.

— Je suis désolé, Carolyne ! C'était si reposant de bavarder avec un individu sans avoir à faire de

diplomatie... Cela change délicieusement ! Mike est
certainement très calé en tennis.

— Alors, je ne veux pas vous interrompre, dit
Carolyne.

— Ne faites pas la sotte !

Il glissa d'un geste léger ses doigts le long de son
bras et lui sourit.

— Bien d'autres choses me manquaient aussi à
Burma, dit-il d'un air détaché. Une foule de choses
autres que les tournois de tennis.

Son sourire s'accentua, car la jeune fille rougissait et tentait faiblement de retirer son bras.

— Allons voir la chapelle, dit-il, et parlons de
choses vraiment importantes.

La première impression de Carolyne dans la
chapelle fut une admiration sans bornes. Le temps
et le manque d'argent avaient terni l'éclat des autres
parties du château, mais la chapelle témoignait d'une
gloire que soulignait sa longue histoire.

Les riches couleurs des vitraux se reflétaient sur
le sol dallé et les bancs de chêne poli. Les murs
étaient revêtus de boiseries merveilleusement pati-
nées et une nappe de fine toile ornait l'autel sous la
croix d'argent ciselé qui occupait la place d'honneur.

— C'est tout simplement magnifique ! dit Carolyne d'une voix étouffée.

Elle passa la main sur la tapisserie usée d'un
coussin appuyé contre le dossier d'un banc.

— Célèbre-t-on encore le culte ici ? demanda-
t-elle.

— La chapelle fait partie des tournées du pasteur, dit Hugh, et les paysans viennent ici célébrer les fêtes de quelques saints.

— Je suis émue ! dit la jeune fille. Je n'ai jamais connu personne qui possède une chapelle privée !

— Ne jugez pas sur les apparences. A moins que votre millionnaire de patron n'ait une irrésistible envie d'avoir sa chapelle particulière, je ne sais pas comment je paierai mes impôts cette année. Les droits de succession sur le domaine ont complètement vidé les coffres. Naturellement, je pourrais vendre des terres, mais..., c'est une lourde responsabilité.

— Vous pourriez épouser une femme riche ! conseilla Carolyne.

Le visage d'Hugh s'éclaira.

— C'est vrai. Quel est l'état de vos finances ?

— Désolée... J'aurais déjà de la peine à payer le salaire de votre pasteur. Pas de fille riche dans les parages ?

— Pas vraiment, non.

— Et ailleurs ?

Un intérêt sincère s'entendait dans la voix de la jeune fille.

Hugh sourit.

— Vous autres Américains ne tournez pas autour du pot !... Mais si vous voulez tout savoir... J'ai en Ecosse une amie d'enfance qui est bourrée de fric.

— Alors ?

Hugh secoua lentement la tête.

— Alors, non merci ! Je finirais par travailler pour le père de Sylvia dans sa fabrique de biscuits secs. Sylvia ne porterait peut-être pas la culotte dans le ménage, mais son père la porterait : cela ne marcherait jamais. Il faut que je trouve un autre moyen d'existence que me présenter devant une femme mon chapeau à la main.

— Si elle vous aime, c'est sans importance.

— C'est important pour moi. Mais assez sur ce sujet. Je vous ai promis de vous faire voir la cachette de la famille ; vous voyez cette inscription gravée dans le chêne à la base de l'autel ?

Carolyne alla inspecter avec curiosité ce qu'il lui montrait.

— « Proverbe XXVI, verset 13 », lut-elle.

— C'est cela. Il y a quelques siècles, mon ancêtre s'est inspiré de ce verset.

— Il faut que vous m'éclairiez, dit Carolyne. Que dit ce verset ?

Hugh sourit.

— Excusez-moi. Je ne pense jamais que la plupart des gens ne savent pas cela. Ce verset dit ceci : « Un lion sur la route, un lion sur la place ! » A l'époque où le château était assiégé, mon lointain ancêtre a eu l'idée d'utiliser le lion de la pièce d'eau pour cacher à l'intérieur les bijoux de la famille. Cette inscription, au pied de l'autel, était destinée à guider le malin qui aurait l'idée d'examiner tous les lions du domaine s'il était à la recherche du trésor.

Les yeux de Carolyne brillaient d'excitation.

— A-t-on finalement retrouvé les bijoux ?

— Oh ! oui. La cachette a été découverte voici deux cents ans : il est inutile d'y regarder maintenant. Il y a même une épigramme gravée sur le socle du lion : je crois que mon grand-père est responsable de cela. Il voulait sans doute éviter une déception aux générations à venir.

— Que dit l'épigramme ?

— La traduction est : « Ne tire pas un lion

mort par la barbe. » Autrement dit : « Ne comptez pas sur d'autre butin. Celui-ci a été vendu il y a bien longtemps pour réparer le toit du château. »

Hugh et Carolyne regagnèrent la porte de la chapelle.

— Tout au moins, dit la jeune fille, vos ancêtres avaient-ils le sens de l'humour !

— Malheureusement, cela ne suffit pas à nourrir son homme.

Derrière eux, Hugh ferma à clé la lourde porte.

— J'aimerais continuer la visite, dit-il, mais je dois voir un métayer : son cottage a besoin de réparations.

— Je vous en prie, allez-y !

Carolyne regarda sa montre.

— Si cela ne vous fait rien, je vais me promener un peu. L'air sent délicieusement bon et j'ai peur qu'il ne pleuve bientôt.

— Cela se pourrait bien. Ne vous éloignez pas.

— Ne vous inquiétez pas de moi. Je voudrais seulement jeter un coup d'œil par dessus le bord de la falaise pour voir la plage.

— Très bien..., mais faites attention au chemin qui suit le flanc de la colline : il se produit quelquefois des glissements de terrain et il vaut mieux attendre pour s'y risquer que le sentier soit déblayé.

— Je ferai attention.

Carolyne vit son compagnon rentrer dans le château, puis elle partit gaiement sur le chemin qui sinuait en s'éloignant de la chapelle, marchant avec circonspection sur le sol semé de rochers.

A un endroit, elle rencontra un demi-cercle de pierres qui entourait un tas de cailloux et elle se demanda ce que c'était. S'agissait-il des sépultures antiques dont parlaient des livres qu'elle avait lus sur l'histoire des pays gallois ?

Elle ralentit son pas en approchant du bord de la falaise. Le sentier aboutissait à deux gros rochers et elle s'arrêta pour contempler la vue à ses pieds.

L'à-pic de la falaise lui coupa la respiration. Tout au long de la pente abrupte, des plaques de thym sauvage retenaient la terre et les cailloux. Devant elle, le sentier descendait en lacets jusqu'à la plage relativement abritée. Des rochers formaient un arc de cercle avec la falaise et s'avançaient dans la mer qui bondissait en écumant.

Il serait agréable, pensa-t-elle, de voir des promeneurs ou des enfants sur cette plage. Elle avait l'impression d'être le seul être humain à des milles à la ronde. Frissonnante, elle releva le col de sa veste.

Comme elle allait repartir en direction de la chapelle, Carolyne aperçut une barque de pêche qui contournait un promontoire sur sa droite. Le bateau, de teinte verdâtre, avait environ trente pieds de longueur et, même d'aussi loin, semblait en piteux état.

Carolyne leva la main pour abriter ses yeux et tenta d'apercevoir les hommes à bord. Elle vit une lueur soudaine et elle comprit d'instinct qu'elle était observée à la jumelle par un navigateur invisible. Elle sourit à demi : elle avait l'impression de regarder par le trou d'une serrure pour voir un œil de l'autre côté !

A ce moment, le moteur de la barque se tut et

l'embarcation se balança sur les vagues. Le capitaine ne devait pas bien connaître ce point de la côte ; s'il s'approchait davantage du fond de la baie, il risquait d'aller se briser sur les rochers.

Impulsivement, elle s'engagea dans la descente ; de plus près, elle pourrait voir si le moteur de la barque était réellement en panne, et elle réussirait peut-être à se faire entendre pour les mettre en garde.

Elle arriva au premier virage et le négocia lentement : si elle ne faisait pas très attention, elle pourrait bien arriver sur la plage plus vite qu'elle ne voulait... Et si elle résistait à l'épreuve, elle remonterait sur une civière ! Cette pensée peu réjouissante lui fit oublier momentanément le bateau et elle ne regarda plus que l'étroit sentier.

Elle vit de petites pierres frapper le sol autour d'elle avant de se rendre compte du danger. Elle ne comprit pas l'origine du bruit qu'elle entendait au-dessus d'elle. Elle s'arrêta seulement et leva la tête pour voir ce qui se passait.

Elle eut l'impression que tout le haut de la falaise s'abattait sur elle.

Son hurlement rompit le silence au moment où le premier choc se produisait. Elle se jeta de tout son long dans le sentier, essayant de se rapprocher de la paroi qui la protégerait. Des pierres, des graviers, du sable pleuvaient sur ses bras repliés sur son visage. Un morceau de schiste l'atteignit derrière l'oreille et elle poussa un cri de douleur. Puis elle ferma les yeux et perdit la notion du temps.

Tout à coup, ce fut fini. Les derniers cailloux allèrent s'écraser sur la plage et un reste de poussière tomba sur le corps allongé de Carolyne. Lentement, péniblement, elle se redressa. Quelque chose de chaud coula sur son cou : elle y porta la main pour voir ses doigts tachés de rouge. Encore étourdie, elle chercha inutilement un mouchoir.

Ses pensées tournaient en désordre dans sa tête. Elle faillit perdre l'équilibre, se cramponna à la roche et secoua sa tête pour tenter de s'éclaircir les idées.

« Mon Dieu ! se dit-elle. L'homme sur le bateau va me croire folle ! »

Elle se frotta les yeux de ses doigts poussiéreux et regarda la mer pour voir ce qui s'était passé sur la barque pendant l'alerte.

Mais il n'y avait que l'étendue grise de la mer agitée devant Carolyne. La barque de pêche avait disparu.

La jeune fille cligna des yeux deux ou trois fois de suite, puis de nouveau regarda la mer déserte. Le choc ne lui donnait tout de même pas d'hallucinations !

Chancelante, elle tenta de revenir sur ses pas, jetant un coup d'œil vers le haut de la falaise et le départ de l'avalanche, craignant presque d'avoir imaginé cela aussi.

Là, dressé comme une statue sur la crête, Mike Evans la regardait avec stupeur.

CHAPITRE VII

Carolyne rouvrit les yeux une minute plus tard pour voir Mike penché sur elle ; elle avait perdu connaissance un instant dans le sentier.

— Ne bougez pas ! dit-il.

Un bras vigoureux entourait les épaules de la jeune fille, mais la voix était anxieuse.

— Vous n'avez pas de mal ?

— Je vais très bien ! dit-elle, se relevant avec entêtement. C'est seulement la surprise de vous voir là-haut. Vous n'avez pas fait exprès de provoquer ce glissement de terrain, je pense ?

Il la regarda avec stupeur.

— De quoi parlez-vous ? Quel glissement de terrain ?

— Bon. Je pense que vous n'en êtes pas responsable. Personne ne serait assez idiot pour rester là, attendant d'être découvert !

— Sortons de là, dit l'Américain. Vous avez dû vous cogner la tête quand vous vous êtes évanouie à l'instant.

Il tirait un mouchoir de sa poche.

— Je ne me suis pas... vraiment évanouie. Je vous le répète, c'est la surprise de vous voir...

— Seigneur ! Vous m'avez déjà vu !

— Pas après qu'une averse de cailloux me soit tombée dessus.

Elle prit le mouchoir et l'appuya derrière son oreille.

— C'est à ce moment-là que j'ai attrapé cette éraflure.

Il épousseta du sable sur l'épaule de Carolyne et la regarda avec inquiétude.

— Qui vous fait croire que quelqu'un soit responsable ?

— Parce que la coïncidence est trop marquée. Ne me regardez pas comme si j'étais folle !

Impatiemment, elle repoussa la main qui la soutenait.

— Je ne fais rien de semblable, dit Mike.

— Si !

Il trouva préférable de parler d'autre chose. Il reprit le mouchoir et en essuya la joue de la jeune fille.

— Baissez la tête ou je croirai vraiment que vous avez le cerveau fêlé !

Il se mit à lui essuyer le haut du nez.

— Vous ne savez pas ? Ça ne part pas, c'est des taches de rousseur. Cinq. Je croyais qu'il n'y en avait plus depuis la reine Victoria !

Carolyne releva brusquement la tête.

— Très drôle !... Et il n'y en a que quatre.

Il compta avec application.

— Exact : c'est bien quatre. La cinquième était un grain de poussière !

Il secoua légèrement le mouchoir.

— Bon ! Tout est en ordre.

Il jeta un bref regard derrière l'oreille de Carolyne avant de dire de l'air le plus naturel :

— Mettez vos bras autour de mon cou.

— Pourquoi faire ?

— Parce que je vais vous transporter jusqu'au château.

Il la souleva et s'engagea dans le sentier.

— C'est inutile, dit Carolyne sans aucune conviction.

Comme il ne répondait même pas, elle se détendit et nicha sa tête contre l'épaule de l'Américain. C'était merveilleux d'être si solidement arrimée à ce corps vigoureux.

Elle découvrit soudain qu'en plus d'un affreux mal de tête, elle avait le système respiratoire désorganisé. Heureusement, Mike ne pouvait sentir son cœur battre deux fois trop vite... Et encore... Il vaudrait mieux mettre une distance raisonnable entre eux avant qu'il ne s'en aperçoive. Elle se débattit.

— Lâchez-moi, je peux très bien marcher.

— Flûte ! Restez tranquille, voulez-vous ? Le haut de cette fichue falaise est encore loin.

Précipitamment, elle serra son cou plus fort.

— Je sais...

— Que faisiez-vous là, pour commencer ?

— J'observais un bateau.

— Ne pouviez-vous l'observer d'en haut ?

— Non. Il était tellement près de la plage que je l'ai cru en difficulté. J'ai pris le sentier... et il est tombé une averse de cailloux et de terre.

— C'est là que vous avez crié ?

— Je pense, oui.

Inconsciemment, elle se blottit davantage. Mike la serra plus étroitement mais son expression ne changea pas. Il dit seulement :

— Je vous ai entendue. Je tournais autour de la chapelle. Cela m'a pris du temps de vous trouver.

— Vous n'avez vu personne ?

— Pas une âme.

Ils arrivaient au sommet de la falaise. Mike fit passer la jeune fille sur son autre bras.

— Je suis lourde ! dit-elle avec remords. Mettez-moi par terre. Je peux marcher. Sincèrement.

— Ne soyez pas assommante. Maintenant que nous sommes en terrain plat, vous êtes légère comme une plume.

— Je ne le serai plus si je continue à manger ces sandwiches au fromage et aux tomates !

Elle lui prit son mouchoir et essuya son cou où le sang continuait à couler.

— Zut ! J'espère ne pas mettre de sang sur votre chemise !

— Aucune importance. Essayez de ne pas bouger.

Carolyne subissait la réaction de l'épreuve récente.

— D'accord, dit-elle avec lassitude. Une malheureuse barque de pêche, en disparition encore ! Cela ne valait pas ça.

Mike ouvrit la bouche pour l'interroger, puis remarqua ses paupières alourdies.

— N'y pensez plus. Dans cinq minutes, vous serez bordée dans cette monstruosité de lit.

Carolyne entrouvrit les yeux.

— Pas de nounours cette fois ?

— Il ne fait de visites que plus tard dans la journée. Et nous attendrons l'autorisation du médecin.

Liz les rejoignit dans le vestibule et prit les choses en mains avec le minimum de chichis et le maximum d'efficacité. Carolyne fut déposée dans son lit, un lit chauffé par une bouillotte à ses pieds et une autre dans ses mains glacées. Reese appela le médecin tandis que Mike et Hugh attendaient dans le couloir.

— Peut-être du cognac ? dit Hugh quand Liz sortit de la chambre.

— Excellente idée, dit-elle, pour Mike et pour vous. Mieux vaut attendre le médecin pour savoir que donner à Carolyne.

— Bien sûr, dit Hugh. Tout ce que vous voudrez. Je suis consterné de cette histoire : il n'y a jamais eu d'ennuis de ce genre dans ce sentier..., n'est-ce pas, Reese ? Vous ne m'en avez rien dit.

Le régisseur-maître d'hôtel arrivait avec le thé préparé sur un plateau.

Reese avait perdu son air imperturbable. Il devait, pensa Liz, trouver mauvais de tenir tête à une invasion de visiteurs après des mois de liberté et d'indolence.

— Je ne savais pas que la surface du sentier ne **tenait pas, monsieur, dit-il.** C'est peut-être à cause des pluies du printemps.

— C'est fort possible, dit Mike, diplomate. Ce thé est-il pour nous, Reese ?

— En avez-vous envie ?

— S'il n'y a rien d'autre..., répondit Mike.

Le visage d'Hugh s'éclaira.

— Je crois que nous avons grand besoin d'un cognac médicinal, dit-il sérieusement.

— Je prendrai du thé, merci Reese, dit Liz. Ce sera parfait en attendant le médecin.

Pour Carolyne, la journée passa dans une agréable brume. Le médecin était jeune, doté d'un bel accent gallois et d'une joyeuse humeur. Il examina soigneusement la tête de Carolyne et déclara qu'il n'y avait rien de cassé. Il fouilla dans son sac et

en tira un flacon de comprimés dont il mit quelques
uns dans une enveloppe.

— Deux ou trois comprimés toutes les quatre
heures jusqu'à ce soir, dit-il.

— Puis-je me lever ? demanda la jeune fille.

— Pas si je dois vous soigner. Le lit jusqu'à
demain matin.

Il donna deux comprimés à Carolyne et la regarda les avaler. Ce mouvement lui fit faire la
grimace.

— Cela soulagera la douleur et vous fera dormir,
dit-il. Je passerai demain matin. Maintenant, il faut
que je rentre chez moi pour faire un rapport à ma
femme ?

— Un rapport... ? répéta Carolyne.

— Elle voudra une description de l'intérieur du
château. La plupart d'entre nous, au village, n'y
sommes jamais entrés. Le régisseur... Reese, je
crois, prend ses devoirs au sérieux. A moins que
son neveu ne vienne, les grilles sont toujours ver-
rouillées.

— Reese devait trouver que c'était son devoir
quand sir Hugh était absent, dit Carolyne.

— Peut-être !

Le médecin paraissait poliment dubitatif.

— De toute façon, c'est agréable de voir le
château reprendre vie. Nous désirons tous que sir
Hugh y reste un peu de temps.

Il regarda sa montre et ouvrit la porte.

— Je vous verrai demain, mademoiselle Drummond. Vous devriez aller beaucoup mieux.

Mademoiselle Drummond allait beaucoup mieux
en effet, mais elle n'en dormit pas moins toute la

journée. Et quand vint le soir, toute l'armée de Cromwell aurait pu faire le tour du château sans qu'elle l'entendît.

*
**

Le lendemain dans l'après-midi, ce fut un bruit de voix qui lui fit ouvrir les yeux et revenir à la réalité. De minces rayons de pâle soleil striaient le **couvre-pieds**. Carolyne se dressa sur un coude. A part un léger étourdissement qui ne dura pas, elle se sentait admirablement bien et elle décida de se lever et de se mettre en quête de quelque chose à manger. Des éclats de rire montaient par la fenêtre ouverte et elle s'en approcha pour voir ce qui se passait.

Liz et Mike, derrière le camion du laitier, faisaient force gestes ; Liz voulait apparemment acheter quelque chose au livreur qui fouillait à l'arrière de son camion.

De nouveaux rires fusèrent après l'acquisition quand Liz s'aperçut qu'elle n'avait pas d'argent sur elle : elle fit un geste désolé et Mike vint à son secours en tirant son portefeuille de sa poche. Il en tomba une photo ; Liz la ramassa, la regarda et la rendit à son propriétaire. A en juger par son expression, il était visible qu'elle taquinait l'Américain qui remit prestement la photo à sa place.

A cet instant, Mike leva la tête et vit Carolyne qui se rappela trop tard sa tête échevelée et son pyjama fripé ; elle recula précipitamment, mais déjà Liz et le laitier, levant les yeux à leur tour, l'avaient aperçue.

Etre surprise en peignoir vaporeux est une chose. L'être en pyjama de flanelle rayée avec un pansement adhésif au-dessus d'une oreille en est une autre.

— Zut ! dit Carolyne. Zut ! Zut ! et zut !

Même la présence de Nounours étalé devant la cheminée ne lui remonta pas le moral : elle ne se sentait pas plus belle que lui. Il était temps de prendre des initiatives énergiques.

Un bain chaud la revigora. Une robe de jersey rouge vif avec un grand col et une jupe plissée améliora la situation. Elle chaussa des escarpins qui n'étaient ni raisonnables ni agréables à porter, mais ils avantageaient extraordinairement ses fines chevilles et ses jolies jambes.

— Qui aurait envie de faire des kilomètres à pied ? dit-elle.

Même ses cheveux se montrèrent dociles, pour une fois, et dissimulèrent complaisamment la bosse derrière l'oreille. Après un dernier coup d'œil au miroir terni, Carolyne, satisfaite, sortit de la salle de bains.

Liz versait du thé dans une tasse.

— J'arrive juste à temps, dit-elle. Croyez-vous que vous devriez être debout ?

Carolyne prit la tasse.

— Je vais très bien, dit-elle. Bonté divine ! Je ne devrais pas avoir besoin de dormir pendant un mois !... Qu'y avait-il de si drôle près du laitier ?

— A Lyonsgate, le laitier ne passe pas tous les matins, répondit Liz. Sa venue est un événement. Je voulais de cette merveilleuse crème épaisse...

— Et les calories ?

— Pensez aux calories vous-même ! dit Liz. Moi, je pense à autre chose. Seigneur ! On a besoin d'un petit extra après un déjeuner de harengs bouillis et de gaufrettes au cumin !

— Vous plaisantez !

Liz étendit la main droite.

— Parole d'honneur ! Les sacrifices que je fais pour le vieil Henry, c'est à n'y pas croire ! Je me demande ce qu'il est advenu de ces fameuses truites galloises qu'on est censé faire griller pour le petit déjeuner ?

— Madame Reese souhaite peut-être hâter notre départ.

— Si c'est cela, elle va réussir. A propos, elle demande ce que vous voulez pour le petit déjeuner ?

— Je ne veux *pas* de harengs bouillis ni de gaufrettes au cumin !

— Je sais. Je vous ai déjà commandé des œufs brouillés... Suffisamment pour nous deux, j'espère.

Elle se versa une tasse de thé.

— Hugh voudrait savoir si vous êtes disposée à déjeuner sur la plage. Si le beau temps tient. Et rien n'est moins sûr... Mais les Gallois sont optimistes : savez-vous que Reese m'a conseillé d'emporter mon maillot de bains tout à l'heure ! Un maillot de bains par cette température ! Un manteau de fourrure ferait mieux l'affaire !

— Croyez-vous vraiment que le vieil Henry ait envie de passer ses étés ici ? demanda Carolyne. L'humidité ne fera pas de bien à ses rhumatismes !

— Pour un rude homme d'affaires, Henry peut être extraordinairement illogique. Je crois que l'idée d'avoir un château fondé par des gens qui portaient son nom le tente, et que de petites choses comme le climat ou le confort le laissent totalement froid.

— Mais pouvons-nous le convaincre ? demanda Carolyne. Je me demande si nous agissons très loyalement. Hugh est si gentil, et il a tellement envie de vendre, mais...

— Nous devons avant tout être loyales envers Henry. Tout ce que nous pouvons faire, c'est un rapport absolument exact. La vérité sur ce château refroidirait même un milliardaire !

Liz vida sa tasse et la remit sur le plateau.

— Très franchement, je crois qu'Henry veut tâter le terrain mais qu'il n'a aucune intention de l'occuper.

— Ne devrions-nous pas le dire à Hugh ?

— Que lui dire ? Je ne fais qu'une hypothèse. Je peux lui glisser quelques avertissements discrets, c'est tout.

— Ce serait déjà ça.

Du bout du pied, Carolyne caressait la tête de Nounours.

— Auriez-vous un faible pour cette créature ? demanda Liz. Quand Michael l'a apportée hier soir, j'ai cru qu'il était fou ! Maintenant, je n'en suis plus aussi certaine.

— Il essayait probablement d'être drôle. Il faut dire qu'il est beaucoup plus plaisant quand la température baisse et qu'on a besoin de chaleur supplémentaire.

— Parlez-vous de Michael ou de l'ours ?

— Franchement, Liz ! Ces harengs bouillis vous ont monté à la tête ! s'exclama Carolyne.

— Je regrette qu'ils ne l'aient pas fait plutôt que me rester sur l'estomac, soupira Liz. Les œufs durs ont bien des avantages...

— Vous devriez peut-être vous reposer ici, suggéra Carolyne. Un déjeuner sur la plage est une épreuve quand on n'en a pas envie.

Liz regarda autour d'elle et frissonna.

— Je n'ai pas envie non plus de rester seule ici, dit-elle. La conversation avec madame Reese laisse à désirer. C'est encore avec le chat blanc que je m'entends le mieux !... Non, le thé m'a déjà fait du bien : à midi, cela ira et l'air me remettra sur pieds. Mais vous ? Etes-vous en état de venir ?

— Bien sûr, je suis en pleine forme. Et peut-être reverrai-je cette barque de pêche ?

Vers une heure, Liz et Carolyne, sur la plage, étalaient une toile de tente sur le sable tandis que Hugh tirait les provisions d'un panier d'osier.

— Madame Reese a dû y mettre des pierres ! dit-il. C'est d'un poids !

Carolyne contemplait le paysage. Une longue suite de rochers s'avançait dans la mer comme une jetée : ce devait être par derrière que la barque avait disparu, pensa-t-elle. Au-delà, le bas de la falaise formait, à un endroit, une sorte d'arcade : il devait y avoir là une grotte qui se remplissait d'eau à marée haute. Hugh, interrogé, confirma le fait.

— Toute la côte est parsemée de grottes comme celle-là, dit-il. Elles étaient très pratiques quand les gens du coin faisaient de la contrebande.

— Que faisaient-ils entrer dans le pays ?

— Des alcools et des vins français, des velours et des dentelles pour les femmes. Tout ce qui pouvait leur rapporter quelque chose. Mes ancêtres ont sûrement fait comme les autres...

Il fit une grimace.

— Malheureusement, les bonnes bouteilles sont bues depuis longtemps !

— Vous servez d'excellent cognac, dit Mike.

— J'ai des cousins français qui m'en procurent, tout à fait légalement.

— Peut-on entrer dans ces grottes ? demanda Carolyne.

— Si on veut, dit l'Anglais, mais il n'y a pas

grand-chose à y voir. Il y fait humide et on n'a pas la place de se tourner.

Il inventoriait le contenu du panier.

— Le déjeuner a l'air meilleur que les pique-niques habituels, dit-il. Mike, asseyez-vous, nous allons servir ces dames.

Il sortit des assiettes et des serviettes.

— J'ai dit à madame Reese que les Américains aiment les sandwiches, dit-il, alors, il doit y en avoir... Ah ! les voilà.

Il écarta les tranches de pain pour vérifier leur contenu.

— Voilà du pâté de poisson, dit-il.

Les trois Américains se regardèrent sans rien manifester.

— Et qu'y a-t-il d'autre ? demanda Liz poliment.

Hugh tirait du panier un nouveau paquet.

— On dirait... oui, c'est ça, fromage et tomates.

Mike eut peine à maîtriser sa voix.

— Carolyne adore ça ! dit-il. Elle m'en parlait encore tout récemment.

— C'est vrai ?

Hugh était visiblement aux anges. Carolyne se montra généreuse.

— Je meurs de faim ! dit-elle.

En dépit de leurs appréhensions, le déjeuner fut varié et savoureux. En plus des sandwiches, il y avait un délicieux jambon d'York servi en fines tranches avec du fromage de cheddar, et comme dessert, une tarte aux pommes, spécialité galloise, faite d'après une recette datant de 1700. Avec du café chaud, elle était particulièrement succulente.

Mike, adossé à un rocher, alluma une cigarette et contempla le décor paisible.

— Vous êtes fou de vouloir vendre cela, dit-il à Hugh. C'est si calme... On se croirait dans un autre monde !

— Je me dis parfois la même chose.

Hugh huma l'air salé avec un évident plaisir.

— Mais n'oubliez pas que l'endroit est plus attrayant avec vous que si j'y suis seul avec les Reese.

— Dans ce cas, dit Liz, le problème est résolu : je resterais volontiers ici indéfiniment !

— Sérieusement, j'espère que vous resterez aussi longtemps que ce sera possible ! Votre présence doit inspirer madame Reese ; elle était bouleversée ce matin car son chat a disparu, j'ai cru que nous n'aurions que ces saucisses froides pour déjeuner !

— Ce joli chat blanc ? Il a disparu ?

Hugh hocha la tête.

— Pourquoi s'affole-t-elle ? demanda Mike. Les chats sont très indépendants, non ? Je ne suis pas expert sur ce sujet, mais j'ai une amie qui adore les chats : elle dit qu'ils... euh... partent souvent faire des visites...

— Expliquez votre théorie à madame Reese, dit Hugh. Comme elle n'a pas d'enfants, elle reporte toute sa tendresse sur ce chat. Quand il est en retard de cinq minutes pour un repas, elle court dans toute la propriété pour le retrouver. Même Reese n'y peut rien.

Il reparla de sa vie aux Indes. Il y avait tant de fêtes à célébrer que, finalement, il ne travaillait pas beaucoup.

— Mais maintenant, je suis nommé à Hong-Kong et ce sera sûrement différent, dit-il. A moins que votre patron n'achète Lyonsgate : dans ce cas, je pourrais habiter Londres et vivre du butin.

Carolyne et Liz se regardèrent. Liz s'agita.

— Ecoutez, Hugh, dit-elle, n'y comptez pas trop. Henry a parfois des idées excentriques, mais...

Il lui tapota l'épaule gentiment.

— Ne vous en faites pas. Franchement, je ne vois pas un Américain, même milliardaire, faisant l'acquisition d'un gouffre financier comme ce monument.

Il se leva.

— Qui vient faire un tour sur la plage ? J'ai trop mangé, j'ai besoin d'exercice.

— J'aimerais..., commença Carolyne.

— Non, ma petite fille, coupa Liz. Vous allez rester tranquille aujourd'hui encore. Ordre du médecin.

— J'avais oublié, soupira la jeune fille.

Mike se leva à son tour.

— Je vous accompagne, dit-il. J'ai envie de jeter un coup d'œil sur le sud de la baie.

— Et vous, Liz ? demanda Hugh.

— Je suis pleine de bonnes intentions mais totalement dépourvue d'énergie ! Un somme est ce qu'il me faut. Je reste de garde avec Carolyne.

— Nous ne nous attarderons pas, dit Hugh.

— Bonne promenade, dit Liz.

Mike se tourna vers Carolyne avant de partir.

— Suivez les ordres du médecin, dit-il, et pour l'amour du ciel, n'allez pas faire de l'alpinisme dans les rochers !

Liz vit le rouge de la colère monter au front de la jeune fille et elle répondit précipitamment :

— Je la surveille, Mike, ne vous inquiétez pas. Nous ne ferons que respirer à fond et dormir.

Un muscle se tendit le long de la mâchoire de l'Américain à la vue du visage furibond de Carolyne,

puis il soupira ostensiblement et partit pour rejoindre Hugh.

— Au diable, cet homme ! explosa Carolyne. Je
l'ai engagé comme chauffeur et il veut diriger ma
vie ! Pas étonnant qu'il préfère les Européennes !
Elles ont l'habitude d'obéir aux hommes... en appa-
rence, naturellement. Gina doit le faire tourner en
bourrique sans même qu'il s'en aperçoive !

— Possible..., dit Liz. Pourquoi ne le lui deman-
dez-vous pas ?

— Parce que sa vie privée ne m'intéresse en
aucune façon !

Elle regarda les deux hommes qui s'éloignaient.

— Je me demande combien de temps ils seront
partis ?

— Qui sait ? Assez longtemps pour que je fasse
un somme, dit Liz tranquillement. Le vent est tombé ;
il fait presque tiède à l'abri de cette falaise !... Vous
devriez vous reposer ; vous êtes encore un peu verdâtre sur les bords.

— Je ne me sens pas verdâtre ! protesta Carolyne. Enfin... Excusez-moi. Je ne sais pas pourquoi
ce garçon me met ainsi en rage. Dommage qu'il ne
puisse prendre des leçons avec Hugh.

Elle étala une couverture pour s'y étendre. Liz
ouvrit les yeux.

— Quel genre de leçons ?

— Pas celles auxquelles vous pensez. Vous avez
l'esprit horriblement mal tourné !

— Ne laissez pas galoper votre imagination, dit
Liz en refermant les yeux. Franchement, je les trouve
charmants tous les deux. J'aimerais avoir vingt ans
de moins pour vous faire un peu concurrence.

Carolyne haussa les épaules et refusa de répondre à la taquinerie. Elle contempla la mer déserte,

puis le haut de la falaise. Il ne restait aucune trace du glissement de terrain, aucun souvenir... Et si elle avait été heurtée par une pierre et avait perdu connaissance, si son corps avait roulé le long des rochers... il n'y aurait plus aucun souvenir de rien du tout.

Abritant ses yeux de sa main, Carolyne suivit du regard le bord de la falaise. Il n'y avait signe de vie nulle part. Pourtant, la veille...

Les sourcils joints, elle réfléchit. L'homme, dans la barque, pouvait chercher quelqu'un d'autre avec ses jumelles. Il pouvait donc y avoir quelqu'un là-haut... Seulement, Mike l'aurait vu.

Elle essaya de trouver une position plus confortable sur le sable durci. A quoi bon se creuser la tête ? Avec un peu d'imagination, on pouvait aligner une douzaine d'explications logiques à la présence de cette barque à cet endroit, et elles pouvaient n'avoir rien de sinistre.

Elle posa sa tête sur la couverture avec une soudaine docilité : inutile de garder un traumatisme à cause d'une aventure désagréable. Elle n'avait qu'à suivre l'exemple de Liz et se reposer. Après ce déjeuner, il n'y avait rien d'autre à faire.

Quand le bruit du moteur se fit entendre, il se mêla à un rêve et la jeune fille n'ouvrit même pas les yeux. Ce ne fut qu'au moment où le son devint irrégulier comme si une panne allait se produire qu'elle se dressa brusquement et regarda la mer.

Il n'y avait rien sur l'eau et le silence était retombé.

Elle s'étendait de nouveau, pensant qu'elle avait rêvé quand le bruit du moteur reprit, toussotant d'abord, puis prenant de la force et devenant un grondement régulier. Carolyne tendit l'oreille, cherchant à localiser le vacarme. Le bateau devait se trouver derrière cette jetée de rochers. Elle se leva : le bruit semblait être le même que celui de la veille.

Si seulement elle pouvait voir cette barque ! Si elle constatait qu'il s'agissait bien du même bateau, elle pourrait en parler à Hugh et à Reese.

Elle jeta un regard sur Liz qui dormait paisiblement. Elle n'eut pas le cœur de la réveiller. Elle hésitait encore sur ce qu'elle allait faire quand le rythme et le son changèrent. Le propriétaire du bateau avait dû reculer, puis repartir en accélérant ; à cette allure, il serait rapidement hors de vue.

CHAPITRE VIII

Presque automatiquement, Carolyne se mit à courir vers le long promontoire rocheux, et tout en galopant sur le sable, elle se réjouit de s'être changée pour le pique-nique : des chaussures de tennis et un pantalon étaient parfaits pour arpenter les rochers.

Elle était hors d'haleine quand elle arriva à la jetée naturelle : le bruit du moteur devenait de plus en plus faible. Si elle ne parvenait pas très vite sur le haut des rochers, elle ne verrait rien.

Du sol, la difficulté d'escalader la pointe apparut immédiatement. Les rochers n'étaient pas très élevés, mais leurs parois étaient terriblement abruptes. Sans aide ou sans le matériel adéquat, elle ne parviendrait pas à les escalader. Cela devenait plus accessible à l'extrémité de la pointe, mais pour y arriver, il fallait un bateau...

« Et je n'en ai pas ! grommela la jeune fille. Zut. Maintenant, je comprends pourquoi ils s'entraînent dans ce pays pour faire l'ascension du Mont Everest ! »

Elle était encore là, remâchant sa frustration, quand le bruit du moteur s'éteignit au loin. Un peu plus tard, elle pensa qu'elle aurait mieux fait de prendre le sentier de la falaise au lieu de rester sur la plage ; à mi-hauteur, elle aurait vu ce qu'il y avait derrière cette épine rocheuse.

Elle n'avait plus qu'à rejoindre Liz et lui conter son échec.

Carolyne remonta un peu sur la plage pour trouver du sable moins dur et elle s'arrêta ; puisqu'elle était là, elle pouvait aussi bien jeter un regard à l'intérieur de cette grotte qui s'ouvrait à la base de la falaise. Il était inutile d'attendre Hugh ou Mike pour une excursion aussi simple.

Prudemment, elle regarda la hauteur de la mer et elle se dirigea vers l'ouverture béante. Ce n'était pas le moment de faire l'idiote et d'avoir à traverser l'eau pour revenir à pied sec. La seule pensée de la réaction de Mike si cela se produisait la fit frémir.

Par bonheur, il semblait qu'elle eût tout le temps voulu. Elle pressa le pas tout de même pour éviter tout risque : elle ne ferait qu'entrer et sortir : comme cela elle n'aurait pas d'ennuis.

Une arcade majestueuse donnait accès à la grotte ; de chaque côté, des traces indiquaient la hauteur de la marée quand les vagues se ruaient à l'intérieur. Deux montagnes de rochers faisaient penser, de part et d'autre, que des mains gigantesques les avaient poussés pour livrer passage à la mer.

Prudemment, Carolyne pénétra dans la grotte et leva la tête vers le sommet voûté. Elle avait peine à croire qu'autour d'elle, cette salle avait été creusée par la seule action des vagues. Elle avait bien trente pieds de haut et environ quarante pieds de profondeur. D'un côté, la muraille de pierre formait un chemin naturel qui disparaissait dans l'ombre du fond.

Pendant le déjeuner, Hugh avait parlé de ces grottes galloises, primitivement dues à des failles ouvertes par des mouvements de la croûte terrestre. Par la suite, les vagues chargées de sable avaient achevé le travail au cours des millénaires.

— Vous connaissez la légende d'Arthur endormi ? dit-il.

Les Américains confessèrent leur ignorance.

— C'est une jolie histoire, reprit l'Anglais. On dit qu'un jour, le roi Arthur dormait dans l'une de nos grottes, entouré de tous ses soldats. Un homme de l'ouest, le septième fils d'un septième fils, passant par là, découvrit l'armée endormie.

— Pourquoi le septième fils d'un septième fils ? demanda Liz.

— Parce que ceux-là seuls recèlent en eux une quantité suffisante de pouvoir féerique pour avoir le don de clairvoyance. Ce jeune homme découvrit donc la grotte et l'armée du roi, et on lui révéla qu'ils attendaient l'invasion des ennemis. Quand viendra l'heure du danger, les soldats sortiront de la grotte avec Arthur à leur tête et ils rejetteront l'ennemi à la mer. Tout Gallois sait qu'il ne faut pas déranger l'armée endormie sans nécessité absolue, car sa propre vie serait mise en péril. C'est pour cela que nous traitons nos grottes avec un grand respect.

Ces paroles revinrent à la mémoire de Carolyne et elle frissonna malgré elle.

— Idiote ! grommela-t-elle.

Il n'y avait aucun soldat endormi en vue, mais des rochers verdâtres ou roses. Du varech, dans de petites flaques d'eau, y ajoutait sa teinte foncée. On entendait de l'eau s'égoutter : il y avait probablement une source à l'air libre, qui s'écoulait entre les pierres.

Soudain, un éclair blanc, dans les hauteurs, fit sursauter Carolyne en lui rappelant le roi Arthur... mais elle n'eut pas peur très longtemps ; il n'y avait rien de supra-naturel dans cette petite tache blanche et mobile, elle venait seulement de découvrir la cachette du chat de Mme Reese.

Un faible miaulement se fit entendre.

— Minou... Minou..., appela Carolyne. Viens, gentil Minou !

Pour toute réponse, le chat agita dédaigneusement la queue et resta obstinément sur son perchoir.

Carolyne fronça les sourcils, se demandant que faire, puis son visage s'éclaira ; elle se rappelait une phrase magique qui faisait accourir au galop le chat gris de Liz.

— Tu veux manger, Minou ?

La boule blanche demeura indifférente. Pas étonnant, pensa Carolyne un peu tard. Le chat ne devait comprendre que le gallois.

— Désolée, Minou, dit-elle avec amusement. J'ai oublié d'apporter un dictionnaire !

Cette fois, il y eut un miaulement caractérisé.

— Je sais, dit la jeune fille compatissante, cette barrière des langages est terrible. Si seulement tu voulais descendre, je te donnerais volontiers un sandwich au pâté de poisson. Je serais même ravie si tu les dévorais tous... Sinon, nous serons obligés d'en manger à l'heure du thé !

Le chat ne bougea pas. Carolyne poussa un soupir exaspéré. Si elle pouvait ramener au château ce chat entêté... Retourner à l'endroit du pique-nique et attendre Hugh ? Et si le chat s'en allait avant qu'elle ne revienne ?

Du regard, elle explora le chemin des régions supérieures de la grotte : il ne devait pas être très difficile de grimper là-haut et de délivrer l'animal. Il y avait tous les points d'appui voulus : avec ses semelles de caoutchouc, elle ne risquait rien. Elle jeta un coup d'œil au chat.

— Maintenant, reste là et sois sage en m'attendant... bien que je ne sois pas sûre que tu aies besoin de moi. Tu es seulement trop entêté pour descendre tout seul !

Le chat commença à lécher une de ses pattes de devant.

Avec un soupir agacé, Carolyne s'engagea dans son ascension.

— Je m'en souviendrai ! dit-elle à son muet interlocuteur. Les sandwiches sont peut-être encore trop bons pour toi finalement !

Après quoi, elle renonça à la conversation pour se concentrer sur l'escalade. Il semblait que l'itinéraire eût été souvent utilisé, par des enfants ou des touristes sans doute. Elle se rappela les contrebandiers évoqués par Hugh ; ces derniers avaient fort bien pu se servir de cette grotte, elle était assez vaste pour cela. A marée haute, une barque pouvait facilement y entrer et s'y cacher. Mais la barque de pêche qu'elle avait vue était trop grande pour cela ; elle pouvait donc l'éliminer.

Et quelle sottise de penser à la contrebande : on n'en fait plus depuis des années. Elle était en Angleterre, pas dans un pays derrière le rideau de

fer où l'on manque de biens de consommation. Elle
avait trop d'imagination : Mike avait raison, sur ce
point...

Mike ! Seigneur Dieu ! Il lui avait recommandé
de ne pas faire ce qu'elle faisait précisément ! Il
exploserait comme une fusée si jamais il découvrait
cela ! Il n'avait aucune raison valable de prendre
des airs d'autorité, mais il serait plus agréable pour
tout le monde qu'elle soit tranquillement à se reposer près de Liz, quand il reviendrait de sa promenade.

*
**

Elle se disposait à revenir sur ses pas quand le
chat miaula.

Carolyne estima qu'en n'importe quel langage,
cet appel signifiait : « J'ai faim ». De plus, l'animal
se leva et se tint en équilibre sur la pointe de son
rocher.

— Ne tombe pas, pour l'amour du ciel ! supplia
la jeune fille.

Elle continua son chemin en direction du chat.
Il fallait qu'elle le délivre quoi que puisse en penser
Mike. Après tout, elle avait l'âge de prendre ses
décisions elle-même et cette petite escalade ne nui-
rait à personne. Son souffle haletant démentait
quelque peu cette allégation, mais elle continua
obstinément à grimper.

Le chat, beaucoup plus proche à présent, recula,
effrayé.

— Ne t'en fais pas, Minou, je ne te ferai pas
de mal. Attends patiemment que je trouve une place
pour mon pied...

Sa chaussure glissait le long de la paroi, cher-

chant un point d'appui. Vainement. Carolyne fronça
les sourcils : il devait y avoir un moyen d'arriver
là-haut ! Ses mouvements délogèrent une averse de
cailloux qui tombèrent en rebondissant jusqu'au sol.
Elle ferma les yeux un instant, évoquant un récent
souvenir. Non sans effroi... puis elle les rouvrit.

Inutile d'être aussi froussarde : même si elle
tombait, elle ne ferait que s'égratigner un peu la
peau. Ce n'était pas comme hier !

Se maintenant par les coudes, elle tâtonna encore
du bout du pied. Là ! Ses orteils s'enfonçaient dans
un creux. Elle n'avait plus qu'un dernier pas à faire
et elle pourrait atteindre le chat.

Tout à coup, son pied s'enfonça dans une cre-
vasse entre deux pierres aplaties, tourna, et s'immo-
bilisa.

— Aïe !

Carolyne se cramponna par les mains et tira sur
son pied. Dieu du ciel ! Impossible de le faire bouger ! Elle tira frénétiquement et s'arrêta net, une
douleur vive remontait vers sa cheville. Si elle continuait, elle courait à de véritables ennuis.

— Miaou..., dit le chat, de son poste d'observa-
tion à trois pieds au-dessus de la jeune fille.

— Inutile de discuter, déclara celle-ci, à moins
que tu ne connaisses le moyen de me tirer de là !

Il n'y eut pas de réponse. Le froid regard du
chat signifiait clairement qu'à son idée, les êtres
humains sont faits pour fournir des repas aux chats,
mais à part cela, ne sont pas bons à grand-chose.

— Si tu ne veux pas m'aider...

Carolyne tenta de tourner son pied autrement,
mais n'obtint aucun résultat. Elle n'arriverait à rien
de cette façon, pensa-t-elle. Il lui faudrait un levier.

Mais il n'y avait pas de levier disponible dans le coin.

— Zut ! dit-elle.

Le chat prit un air méprisant et se mit à lécher son autre patte.

— C'est ta faute, tu sais ?

Le chat continua tranquillement à lisser sa patte et Carolyne se tut. Elle aurait peut-être plus de chance de convaincre Michael.

Elle appuya sa hanche contre un creux du rocher derrière elle et s'installa plus confortablement en attendant l'équipe de secours. Quand Hugh et Mike s'apercevraient de sa disparition, ils devraient énumérer rapidement les endroits dangereux. Elle tenta de voir l'heure à sa montre, mais la grotte était trop sombre pour le lui permettre.

Tout au moins, elle ne risquait rien de la marée haute : d'après les marques humides sur les parois, elle se trouvait à cinq ou six pieds au-dessus du niveau des grandes marées. A moins de catastrophe...

Un souffle d'air froid passa sur ses épaules et elle croisa les bras sur sa poitrine pour se tenir plus chaud. Si elle avait prévu qu'elle passerait l'après-midi dans cette grotte, elle aurait mis quelque chose de plus consistant qu'une veste de popeline et un chemisier de coton !

Le temps passa, si lentement que chaque minute semblait regretter de faire place à la suivante. Même le chat blanc déclara forfait, et roulé en boule, ferma les yeux pour la sieste. Carolyne regretta de ne pouvoir faire la même chose.

La température baissait de manière inquiétante. La jeune fille se demandait s'il se formait, la nuit, des aiguilles de glace, quand elle entendit un bruit de pas sur les cailloux au dehors, des pas décidés qui faillirent la faire appeler, mais elle refoula cette envie et se recroquevilla sur elle-même, le cœur affolé et les joues livides.

Lorsque la haute silhouette de Mike parut à l'entrée de la grotte, elle ne vit qu'une ombre mais il n'y avait pas à se tromper sur la voix sévère.

— Carolyne !

Ce n'était pas une question. Le mot était froid, précis.

— Où êtes-vous cette fois ?

La jeune fille avala sa salive avant de répondre d'une voix faible :

— Je suis là-haut.

Il réagit comme un animal sauvage découvrant une piste dangereuse. Il y eut un moment de silence total, puis un regard intense qui cherchait..., et trouva rapidement. Il se mit à grimper dès qu'il aperçut Carolyne qui se faisait toute petite contre son rocher. Malheureusement, ses efforts ne l'empê-chèrent pas de parler.

— Que diable faites-vous là, accrochée à ces pierres ?

Elle eut peine à décider entre le rire et les larmes.

— Accrochée aux pierres est le terme exact, dit-elle.

Déjà, il était près d'elle. Pour lui, l'ascension avait été un jeu d'enfant.

— Qu'est-il arrivé ? Vous êtes-vous fait mal ?

— Pas vraiment. C'est mon pied... le gauche. Je ne sais comment il s'est coincé dans une fente.

Il passa devant elle, se pencha, et ses doigts sui-virent la jambe aussi loin que ce fut possible.

— Ça vous fait mal ?

— Non. C'est seulement que je ne peux pas

retirer mon pied de là. Placée comme je suis, je n'ai pas assez de force.

Il la fixa d'un regard compréhensif.

— Je crois pouvoir y arriver en vous tirant vers le haut et de côté en même temps.

Il se mit en position.

— Maintenant, mettez vos bras autour de mon cou...

Il lui jeta un coup d'œil exaspéré.

— Serrez, pour l'amour du ciel ! Il ne faut pas que vous lâchiez.

Elle obéit sans mot dire. Si son étreinte énergique produisit quelque émotion sur Mike, il n'en laissa rien paraître, décida-t-elle.

Il ne faisait attention qu'à la fente où le pied s'était enfoncé.

— Essayez de remuer vos orteils quand je vous soulèverai. Et criez si ça vous fait mal.

— Pourquoi ? Il faut bien que je retire mon pied !

— Ne faites pas l'idiote. Si je ne peux pas vous dégager de cette manière-là, j'irai chercher un outil et j'attaquerai le rocher.

Elle en eut le souffle coupé.

— Je ne pensais pas...

— Cela vous arrive-t-il de penser quelquefois ?

Il n'attendit pas de réponse et commença à la soulever doucement.

— Allons-y. Essayez de remuer votre pied dans tous les sens... Ça va... ?

— Je ne crois pas...

Elle se mordit les lèvres : son mollet râclait le rocher. Puis elle s'exclama :

— Oh, si ! Tire encore, Mike ! Mon soulier est en train de lâcher... là !

Elle sauta en l'air comme un bouchon saute d'une bouteille. Mike chancela, s'efforçant de ne pas perdre l'équilibre.

— Ça colle ? demanda-t-il finalement.

Serrés l'un contre l'autre, ils se retrouvaient sur l'étroite corniche. Carolyne constata tristement :

— J'ai perdu ma chaussure.

— Qu'est-ce que ça peut bien faire ? Essayez de vous tenir sur votre pied.

— Volontiers... si vous me laissez toucher le sol.

Pour la première fois, il parut interloqué. Il la fit descendre doucement tout en gardant un bras autour de ses épaules.

— Comment le pied se comporte-t-il ?

Prudemment, Carolyne laissa son poids retomber sur sa jambe gauche. Elle releva la tête.

— Je crois que ça va bien, dit-elle. J'ai des fourmis dans la jambe et dans le pied pour l'instant...

— C'est la circulation qui se rétablit. Quand nous serons revenus sur la plage, je vous masserai.

Prestement, il regarda autour de lui.

— Venez, il semble que ce soit le chemin le plus facile.

— Mais mon soulier...

— Laissez-le, je vous en achèterai une paire. Accrochez-vous à moi pendant la descente.

Sa désinvolture la piqua.

— Je m'achèterai mes chaussures moi-même, dit-elle dignement.

Il ne répondit pas. Visiblement, il s'en moquait éperdument. Et elle n'avait pas besoin de se sentir déprimée ; ce n'était pas une réaction normale après avoir été sauvée. Elle jeta à l'Américain un regard oblique : s'il témoignait seulement un semblant d'intérêt, ce serait rassurant. Hugh ne traiterait pas une femme de cette façon cavalière ! Hugh...

Carolyne pensa tout haut.

— Où est Hugh ?

— Nous allons probablement le rencontrer en sortant. Il est allé demander à Liz si par hasard vous étiez rentrée au château. Quand il saura que vous n'y êtes pas, il reviendra par ici.

— Comment avez-vous deviné où j'étais ?

— J'ai réfléchi à l'endroit le plus invraisemblable, difficile, dangereux et désagréable qu'une femme comme vous tiendrait à voir...

Ils atteignaient le niveau de la plage. Carolyne lâcha le bras de son compagnon comme si c'était un fer rouge.

— Et vous y étiez, acheva l'Américain paisiblement. Asseyez-vous sur cette pierre pour que je vous masse la jambe.

— Je ne veux pas que vous...

— J'ai dit, asseyez-vous !

Elle s'assit.

— Inutile de crier après moi, dit-elle.

Il s'assit sur le sable et commença à malaxer le muscle de sa jambe.

— Vous avez raison, dit-il. Crier après vous ne suffit pas.

— Que faut-il d'autre ?

— N'importe quoi qui vous oblige à vous conduire comme une créature humaine raisonnable... pour changer.

Ses doigts trituraient le mollet de Carolyne.

— Que diable faisiez-vous là-haut, pour commencer ?

Carolyne était trop fatiguée pour combattre.

— J'essayais de sauver le chat de madame Reese.

Si elle espérait de la commisération, elle fut déçue.

— Bonté divine ! Pourquoi ?

— Il était là-haut, sur une pierre, il ne pouvait pas descendre.

De nouveau, Mike baissa la tête pour continuer le massage.

— Où est-il maintenant ? demanda-t-il.

— J'ai oublié de regarder !

La jeune fille leva les yeux vers les hauteurs.

— Par exemple... Il est parti !

— Naturellement, dit Mike.

Il donna une dernière tape au mollet et se leva.

— N'avez-vous aucune idée concernant les chats ? demanda-t-il. Il était probablement tout à fait content. Et s'il était en danger, pourquoi n'êtes-vous pas venue chercher de l'aide ?

— J'ai pensé qu'il disparaîtrait peut-être.

— Ce qui prouvait qu'il était libre de ses mouvements, dit Mike avec une logique horripilante.

Carolyne serra ses tempes de ses paumes.

— Oh ! N'en ajoutez pas ! gémit-elle. Je sais, je me suis comportée stupidement. C'est devenu une habitude pour moi quand vous êtes dans les parages.

Mike enfonça ses mains dans ses poches et y fit tinter des pièces de monnaie.

— Ne soyez pas ridicule ! Reposez-vous un moment pour pouvoir regagner la plage.

— Je voudrais que vous cessiez de me donner des ordres !

— Et je voudrais que vous obéissiez à quelques-uns ! Sinon, vous retraverserez l'Atlantique sur une civière !

— Je suis parfaitement capable de diriger ma vie, déclara Carolyne.

Son menton se relevait avec entêtement.

— Rappelez-vous que j'ai engagé un chauffeur, pas un garde du corps ! dit-elle.

En prononçant ces mots, elle se demanda soudain pourquoi elle le provoquait perpétuellement. Pourquoi prenait-elle ce plaisir pervers en le voyant réagir avec colère, en voyant ses yeux étinceler ?

— Ainsi, je suis un domestique engagé pour votre service ? dit Mike à mi-voix.

Il fit un pas en avant. Sa désinvolture avait totalement disparu et il avait l'air aussi dangereux qu'un requin barracuda tournant autour de sa proie.

— Merci de me remettre à ma place ! ajouta-t-il.

Carolyne haussa les épaules. Mais elle avait un peu peur.

— Ne prenez pas la mouche ! dit-elle, s'efforçant de garder une voix unie. Tout ce que j'essaye de vous faire comprendre est que je sais prendre mes décisions moi-même. Je l'ai fait jusqu'à présent. Economisez vos sages, conseils pour votre petite amie.

— Avez-vous d'autres sages paroles à prononcer ?

Elle aurait dû se méfier de la façon dont il scandait ses mots, comme si chacun était une aiguille de glace. Au lieu de cela, elle releva la tête encore plus haut.

— C'est tout, sauf que j'espère que vous pensez à inscrire vos heures et vos dépenses au cours de ce voyage.

— Ne vous inquiétez pas ! dit-il sur un ton froidement amusé. Naturellement, je me ferai payer un supplément pour avoir tiré une femme d'une faille dans les rochers...

— Vous êtes vraiment trop susceptible ! dit Carolyne, agacée par le ton sarcastique de Mike. Si je ne

m'incline pas devant vos ordres, c'est la bagarre...
et ce n'était pas dans nos conventions. Faites-moi
grâce de vos avis, monsieur Evans, et remettez-moi
votre facture quand nous serons sur le point de
partir.

— Très bien, si c'est ce que vous désirez, mademoiselle Drummond.

L'Américain prenait le même ton cérémonieux
que Carolyne.

— Et vous pouvez déjà me donner un acompte.

Avant qu'elle eût compris son intention, il l'entoura de ses bras et l'attira contre lui.

— Je ne crois pas que nous ayons jamais discuté le tarif de ma journée...

Une main vigoureuse la serrait contre sa poitrine,
et l'autre avait saisi ses cheveux.

— Que faites-vous ? gémit Carolyne.

— Je vous fais payer une partie de mes frais.
La prochaine fois, vous ferez vos conditions par
écrit.

— Il n'y aura pas de prochaine fois !

— Raison de plus pour que je tire le maximum
de cette fois-ci, vous ne croyez pas ?

D'un geste délibéré, impitoyable, il se pencha et
prit ses lèvres.

Après dix secondes, Carolyne cessa de se débat-
tre. Après trente secondes, Mike desserra légèrement
son étreinte pour la laisser passer ses bras autour
de son cou.

Lorsque s'acheva ce long baiser, Carolyne et
Mike redescendirent sur terre avec peine. Ils restè-
rent l'un contre l'autre, quelque peu haletants. Mike
regarda la jeune fille et secoua la tête, comme pour
s'éclaircir les idées.

— Mike... chéri...

Sur ce tremblant murmure, l'Américain, de nouveau, attira le corps souple contre son corps musclé et il l'embrassa encore.

Elle s'écarta finalement avant d'avoir perdu tout ce qui lui restait de volonté. Mike la libéra de mauvaise grâce.

— Pourquoi m'avez-vous embrassée comme ça ? réussit-elle enfin à demander, sans cesser de se cramponner aux revers de sa veste.

Il eut un rire étouffé.

— C'est pour les heures supplémentaires, déclara-t-il dignement. C'est double tarif pour les week-ends... et attendez que nous en soyons au tarif de vacances !

Carolyne cherchait désespérément à se ressaisir. Que lui arrivait-il ? Simplement parce qu'un homme l'avait embrassée... Non. Ce baiser-là était autre chose. Un tremblement de terre, ou une éruption volcanique, ou les deux à la fois. Elle n'en était pas encore remise. Elle leva les yeux sur lui. Impossible de lui demander s'il éprouvait la même chose.

Voyons... ! Sans nul doute, il avait embrassé ainsi des centaines de femmes. C'était probablement le même genre de tarif pour Gina...

Cette fois, Carolyne repoussa Mike avec des bras qui avaient recouvré leur force. Ce garçon pouvait chercher ailleurs ses amusements de vacances !

— Excusez-moi pour les heures supplémentaires, dit-elle froidement, mais la récréation est terminée. La prochaine fois que j'engagerai une aide temporaire, je commencerai par exiger des références.

Elle lui tourna le dos et se dirigea en chancelant vers l'entrée de la grotte. Si elle avait pu trouver un trou pour s'y cacher, elle aurait préféré cela. Dieu merci, Mike ignorait que ces quelques dernières minutes avaient été beaucoup plus pénibles pour elle que s'être pris le pied entre deux rochers !

Il était inutile de feindre l'indifférence ; la manière dont elle s'était comportée dans ses bras ne pouvait lui laisser aucun doute sur ses sentiments. Il devait probablement en rire sous cape en ce moment-même !

La haute silhouette d'Hugh, paraissant au seuil de la grotte, apporta une diversion bienvenue.

— Carolyne..., c'est vous ? demanda-t-il avec étonnement.

— Oui, je suis là. Hugh ! Je suis si contente que vous soyez venu !

Le ton était éloquent. Hugh ouvrit simplement les bras et elle s'y jeta, cachant son visage contre l'épaule de l'Anglais.

— Hugh... Jamais je n'aurais cru être aussi contente de voir quelqu'un !

Abasourdi, il ne discuta pas. Ses bras se refermèrent autour de la jeune fille et il se pencha pour l'embrasser doucement.

— Ma chère Carolyne... Comment, vous pleurez ?

Ses doigts caressèrent les joues mouillées.

— Ne vous tourmentez pas, mon petit. Tout va bien maintenant.

Il l'entraîna vers la plage, gardant un bras protecteur autour de ses épaules.

— Je croyais que Mike devait venir inspecter cette grotte. Sinon je serais venu beaucoup plus tôt. Liz est terriblement inquiète : dépêchons-nous d'aller la rassurer. Vous n'avez pas de mal, n'est-ce pas ?

— Non, pas du tout.

Carolyne regardait droit devant elle. Elle n'allait pas regarder en arrière. Jamais !

— Voilà qui est bien.

Son bras la serra plus fort, affectueusement.

— Les grottes galloises sont assez sinistres mais j'ai toujours dit qu'elles ne recèlent aucun danger.

Carolyne trébucha légèrement, puis reprit son équilibre.

Elle ne discuta pas l'opinion d'Hugh, mais elle aurait pu lui dire qu'il se trompait.

CHAPITRE IX

Quand Liz vint la voir une demi-heure plus tard, Carolyne assise sur son lit feuilletait mélancoliquement une brochure touristique.

— Vous êtes-là ? dit-elle avec soulagement. Nous pensions que vous alliez descendre pour l'heure des cocktails. Pourquoi n'êtes-vous pas venue ? Il fait plus chaud en bas, quand il n'y aurait que cela pour vous y attirer. Vous vous sentez bien, non ?

— Naturellement. Je pensais qu'Hugh vous l'avait dit. Il a veillé sur moi comme un père anxieux pendant tout le trajet du retour !

— Et cela ne vous a pas plu ?

Liz se percha sur le bord du lit et regarda le titre de la brochure : « Sud Pays de Galles «, lut-elle.

— Pourquoi diable lisez-vous ça ?

Carolyne jeta la publication sur la table de chevet.

— Parce qu'il n'y avait rien d'autre, dit-elle, à part un livre sur « Les désastres en mer »... et je n'avais pas envie de faire la conversation en bas.

— Vous n'êtes pas la seule, dit Liz. Mike est rentré il y a quelques minutes : il avait l'air aussi joyeux qu'une girafe qui a mal à la gorge... Et il a demandé à Hugh des détails sur les routes du Pays de Galles du nord. Vous a-t-il parlé de repartir ?

— Je ne crois pas qu'il ait fait allusion à cela, dit Carolyne.

— Alors, vous l'avez vu dans la grotte ?

La jeune fille regarda Liz avec indignation.

— Laissez donc tomber les subtilités, grommela-t-elle, et demandez-moi ce que vous voulez savoir.

Liz ne se découragea pas.

— Très bien. Que vous est-il arrivé, à vous deux, cet après-midi ?

— Rien d'extraordinaire, répondit Carolyne évasivement. Nous avons été d'accord pour nous disputer une fois de plus.

Cela, tout au moins, était vrai.

— Franchement ! Vous êtes impossibles l'un et l'autre !

— Je suis tout à fait d'accord avec vous. Faut-il nous changer pour le dîner ?

— Vous pourriez mettre une jupe pour ménager les principes antiques de Reese.

— J'avais déjà fait ce projet.

Carolyne sauta à bas du lit et alla contempler sa maigre collection de robes dans l'armoire.

— Qu'y a-t-il au programme pour après le dîner ?

— Hugh voudrait aller en voiture à Tenby, mais je suis obligée de rester ici pour attendre ce coup de téléphone.

— Quel coup de téléphone ?

— Je ne vous en ai rien dit ? Je deviens cinglée !

Liz se frappa la tempe éloquemment.

— Henry a téléphoné pendant que nous étions sur la plage. Reese m'a dit qu'il rappellerait ce soir. Il a soigneusement inscrit les détails et me les a donnés.

Elle chercha un papier dans la poche de sa jupe et le tendit à la jeune fille.

Carolyne lut et fronça les sourcils.

— Je me demande ce que le vieil Henry a dans la tête ?

— Vous le connaissez, dit Liz avec résignation. Ou bien il est fatigué d'attendre notre rapport, ou bien il a trouvé une villa de week-end sur la côte de Yougoslavie ou autre. Je voudrais bien qu'il trouve une autre manie pour s'occuper... Croyez-vous qu'il s'intéresse aux poissons tropicaux ?

Comme elle n'obtenait pas de réponse, elle leva les yeux et vit le visage bouleversé de Carolyne.

— Ma petite fille, qu'y a-t-il ?

Carolyne ne répondit pas. Elle demanda :

— Où avez-vous trouvé ce papier ?

— Je vous l'ai dit, Reese me l'a donné. Qu'est-ce que cela peut bien vous faire ? Evidemment, il voulait me transmettre avec exactitude le message d'Henry.

— Je ne parle pas du message d'Henry, coupa Carolyne. Ce papier... Il est pareil à l'autre !

— Quel autre ?

Liz se leva et vint mettre une main sur le front de la jeune fille.

— J'ai peur que vous n'ayez un accès de fièvre, dit-elle.

Carolyne la repoussa doucement jusqu'au lit.

— Ne dites pas de sottises. Asseyez-vous et écoutez-moi. Ce papier, déclara la jeune fille avec emphase, porte l'en-tête de « l'Alimentation Wellington et Compagnie » !

— Quel mal y a-t-il à cela ? Reese a dû trouver un vieux bout de papier près du téléphone et il s'en est servi pour inscrire le message.

— Ne vous rappelez-vous pas ce que je vous ai dit ? C'est un papier semblable à celui-là que j'ai ramassé quand j'ai failli être écrasée par cette camionnette à Chepstow : c'était une facture pour du fromage et il n'y a pas de facture inscrite sur cette feuille-là, mais l'en-tête imprimé était identique. C'est une étrange coïncidence, vous ne trouvez pas ?

— Je ne sais pas...

— Vous en cherchez peut-être trop long. Ce pourrait être comme trouver un étui d'allumettes publicitaire semblable à un autre, en Amérique. Il y en a partout et de toutes sortes. De plus, ajouta Liz, vous n'êtes pas certaine que cette facture avait un rapport avec la camionnette qui vous a heurtée.

Carolyne soupira.

— Je sais. Je voudrais que vous cessiez d'être aussi logique. Entre parenthèses, j'ai déjà pensé tout cela.

— Cela vous apaiserait-il d'interroger Reese ?

Carolyne secoua la tête.

— J'en doute. Il me regarde toujours d'un air vague quand je lui pose une question. Hugh est le seul qui puisse lui tirer un mot.

— Alors... interrogez Hugh !

Carolyne fit un geste découragé.

— Je ne peux pas... Après avoir fait cette histoire au sujet des bruits que j'ai entendus l'autre nuit... Je vois d'ici sa tête si je lui demande pourquoi Reese a en sa possession un papier provenant d'une maison d'alimentation ! Il croira que je suis...

Elle chercha le terme voulu.

— Cinglée est le mot qu'on utilise ici, dit Liz. Cinglée. Complètement cinglée.

Carolyne soupira encore.

— C'est ça, dit-elle. Le pire, c'est que... je ne suis sûre de rien moi-même. Et vous n'êtes pas convaincue, vous devriez pourtant prendre mon parti !

— Ecoutez, Caro... Celui qu'il faut interroger, c'est Michael. Vous devez bien le comprendre.

— Je ne vois pas pourquoi...

Carolyne s'interrompit devant l'air dédaigneux de Liz. Finalement, elle déclara carrément :

— Je ne peux pas.

— Ne soyez pas stupide. Bien sûr que si, vous pouvez !

Liz se leva.

— Je vais aller lui demander de venir, ceci n'étant pas un sujet de conversation de salon.

Elle regarda sa montre.

— De plus, il devrait être l'heure du coup de téléphone d'Henry. Cette fois, il faut que je sois là.

— Dites-lui mille choses...

— Entendu.

Liz s'arrêta au seuil de la porte.

— Pour l'amour du ciel, mettez du rouge à lèvres ?

Carolyne prit l'air entêté.

— Pourquoi ? Je n'essaye d'impressionner personne !

Après ce qu'elle lui avait dit dans la grotte, il était peu probable que Mike vienne la voir, même à la demande de Liz.

— Qui parle d'impressionner quelqu'un ? Vous n'avez aucune raison d'être pâle comme une héroïne de roman victorien.

Liz ouvrit la porte.

— Mike sera là dans cinq minutes.

La porte claqua doucement màis fermement derrière elle.

Piquée au vif, Carolyne prit la robe de jersey rouge sur son cintre et la passa sans autre délai. Elle avait juste fini de peigner ses cheveux et de mettre du rouge sur ses lèvres quand on frappa à sa porte. Elle cacha prestement le tube de rouge dans son sac et alla ouvrir. Michael était là.

— Liz m'a dit que vous vouliez me parler ?

Sa voix était aussi dépourvue d'expression que son visage.

Une vague de désespoir déferla sur Carolyne. Quoi qu'elle attendît, ou espérât de cette rencontre, ce n'était pas d'affronter un étranger au ton froid, venu seulement à la prière de Liz.

— J'ai besoin d'un conseil... Voulez-vous entrer ?

Elle lui livra poliment passage et referma la porte.

— Merci.

Mike s'approcha de la cheminée et s'y adossa. Carolyne remarqua machinalement que son costume gris se fondait harmonieusement dans les teintes du mur derrière lui.

Il avait évidemment préparé ce qu'il allait dire, car il le dit immédiatement.

— Je vous prie d'excuser les remarques que je vous ai faites... et ce qui s'est passé dans la grotte. Je ne voulais pas vous offenser.

Il regardait attentivement Nounours allongé devant la cheminée, comme pour lui ordonner silencieusement de se redresser et de servir d'intermédiaire.

— C'était en partie ma faute, reconnut Carolyne.

Mike haussa les épaules pour lui faire comprendre que peu lui importait.

— Il n'empêche que je n'avais pas besoin de me fâcher et de faire tomber sur vous ma mauvaise humeur.

Carolyne aurait pu répondre que l'épisode de la grotte n'était rien auprès de cette dérobade polie. Si elle s'était souvenue que la cuillère des amoureux était destinée à Gina, elle aurait pu s'éviter une déception.

Visiblement, Mike avait été emporté par une émotion passagère et avait repris son sang-froid un peu tard. En homme civilisé et bien élevé, il était ennuyé d'être sorti du droit chemin. Le fait qu'elle eût découvert une heure plus tôt qu'elle était amoureuse de lui n'y changeait rien.

Cette seule pensée la fit tressaillir. Mike s'en aperçut.

— Je me suis conduit comme un fichu imbécile, dit-il. Franchement, il y a des années que je ne me suis oublié à ce point. Tout au moins, Hugh n'est pas arrivé au moment crucial pour aggraver encore les choses.

— Hugh ?

— Il n'a rien vu, je pense ? En tout cas, je ne pense pas qu'il m'ait vu, mais si vous voulez que j'aille lui expliquer qu'il ne s'agissait que d'une erreur...

Elle secoua la tête avec découragement.

— Seigneur, non.

— Je m'en doutais.

Il mit ses mains dans ses poches.

— Vous pourriez faire moins bien. Hugh est un garçon très sympathique quand on le connaît.

— Allez-vous me donner des renseignements sur lui ?

Carolyne parlait avec amertume. Il était déjà pénible d'être repoussée pour une autre femme sans qu'il organise son avenir en même temps.

— Ne vous excitez pas. Je voulais seulement dire que...

— Je sais ce que vous vouliez dire, coupa Carolyne, et j'aimerais que vous gardiez vos félicitations en réserve jusqu'au moment où on vous les réclamera.

Mike rougit violemment.

— Tomber amoureuse n'a pas amélioré votre caractère le moins du monde ! dit-il.

— Vous pouvez parler !

Cela faisait du bien de se fâcher !

— Vous venez me faire des sermons comme un conseiller au mariage ! Hugh et moi nous débrouillons très bien sans votre aide. Pourquoi n'allez-vous pas faire vos bagages, ou achever ce que vous faisiez ?

— Je ne demande que cela ! riposta-t-il sèchement en se dirigeant vers la porte. Je me demande pourquoi j'ai été assez idiot pour écouter Liz...

Il s'interrompit brusquement et se retourna d'un air penaud.

— Du reste... pourquoi diable suis-je venu ici ?

Malgré elle, Carolyne éclata de rire et elle tomba assise sur un coffre au pied du lit.

— Décidons de faire trêve pour cinq minutes au moins, dit-elle.

— J'en serais ravi !

Il vint s'asseoir à côté d'elle et lui prit une main qu'il serra de façon réconfortante.

— Que penseriez-vous d'oublier ces cinq dernières minutes et de repartir de zéro ?

— J'en serais ravie ! dit-elle, l'imitant gentiment.

Elle laissait sa main dans la sienne.

— Ecoutez-moi... et vous me direz que je perds le nord, commença-t-elle.

Brièvement, elle parla de la note inscrite par Reese sur un papier à en-tête de l' « Alimentation Wellington ».

— Je ne sais pas s'il faut mettre ce papier sous le nez de Reese ou ne pas m'occuper de cette affaire, dit-elle finalement. Qu'en pensez-vous ?

Les sourcils joints, Mike ne répondit pas tout de suite.

— Je n'en sais fichtrement rien, répliqua-t-il enfin. Franchement, je préférerais que vous ne vous mêliez pas de ça.

Il vit une étincelle luire dans les yeux noisette et ajouta :

— Vous m'avez demandé mon avis, ne l'oubliez pas !

— Oui, c'est vrai, admit Carolyne.

Elle aurait bien voulu pouvoir poser sa tête contre cette épaule gainée de tweed.

— Si je ne pose pas de questions, qui pourrait en poser ? dit-elle. Je ne voudrais pas mêler Hugh à cette histoire ; il a suffisamment de problèmes personnels pour le moment.

— Voilà que vous dites encore des sottises ! dit Mike gentiment. Et vous êtes injuste pour Hugh, tout homme veut protéger la femme qu'il aime. De plus, il est seul à pouvoir tirer de Reese une réponse exacte. Je vais lui parler. Si vous êtes d'accord...

— Attendons le coup de téléphone d'Henry à Liz. S'il a toujours l'intention d'acheter le château, cela simplifierait les choses.

— C'est comme vous voudrez, bien que je ne

voie pas quelle différence cela peut faire. Si Hugh
vous aime, il vous aime, que ce maudit château
soit ou non vendu ! Ne me dites pas qu'il pose des
conditions ?

— J'aimerais mieux ne pas discuter de ça, dit
Carolyne d'une voix mal assurée. De toute façon,
attendons de savoir ce qu'Henry veut dire à Liz.

— Je suis content de savoir où j'en suis, dit
Mike. Croyez-le ou non, cela m'intéresse.

— Je sais, Mike, soupira la jeune fille, mais je
ne peux rien expliquer.

Un moment, elle posa la main sur la manche
de Mike, puis elle se leva pour mettre entre eux
une prudente distance.

L'imagination de Mike avait tellement travaillé
qu'il était impossible de le détromper sans une
gênante déclaration de la part de la jeune fille.
Mieux valait laisser aller les choses. Lorsqu'ils
auraient quitté Lyonsgate, leurs chemins se sépare-
raient et ils ne se reverraient pas ; elle y veillerait,
pour sa propre sécurité.

Il se leva aussi. Il lui prit le papier et le mit
dans la poche de sa veste.

— Je vais descendre et voir ce que Hugh pense...
Il s'interrompit : on frappait à la porte.

— Puis-je me joindre au conclave ? demanda
Liz, passant sa tête dans l'entrebâillement. Le coup
de téléphone d'Henry vient de se terminer.

Elle referma la porte et vint se percher sur un
bras de fauteuil.

— Quelle nouvelle ? demanda Carolyne.
Liz secoua la tête.

— Le château gallois est hors de question et la Floride a fait son entrée. Il vient d'acheter une maison de rêve sur l'île Sanibel. Quelqu'un lui a parlé de faire collection de coquillages pour se distraire et il veut passer tout son temps libre sur la plage !

Carolyne fit une grimace de consternation.

— Nous aurions dû nous en douter ! Qu'allons-nous dire à Hugh ?

— La vérité, naturellement. Je pense qu'il ne nous jettera pas dehors dès ce soir.

— Ce n'est pas de ça que je parlais. C'est seulement qu'il voulait tellement vendre la vieille bâtisse !

— Ce n'est pas la fin de tout, dit Mike. Il y aura d'autres acheteurs éventuels.

Liz tirailla le lobe de son oreille.

— Je croirais volontiers qu'ils seront rares, dit-elle. Henry veut que je donne à Hugh un généreux chèque pour le dérangement que nous lui aurons causé.

— Liz ! C'est impossible ! Hugh serait ulcéré !

— Je sais, même si l'argent lui est utile. Ne vous tourmentez pas, mon chou. Je vais essayer de penser à quelque chose de plus diplomatique. Malheureusement, je ne vois pas la manière facile de dire que notre Henry a changé d'idée...

Elle ouvrit son sac et distraitement y prit une cigarette. Elle tressaillit soudain.

— Autre chose, je voulais vous montrer ça.

Elle tira de son sac un papier plié et le tendit à Mike.

— Encore un de la même collection, dit-elle.

— Vous voulez dire une autre feuille à en-tête de l'Alimentation Wellington ? demanda Carolyne en allant regarder par-dessus l'épaule de l'Américain.

— Il semble qu'il y en ait partout, dit Liz. J'aurais dû m'en souvenir plus tôt.

— Celui-ci vous a été remis par madame Reese ? demanda Mike.

— Cette recette que je lui ai demandée est écrite dessus. Je ne sais pas où elle l'a trouvé.

— Ils en ont peut-être acheté une caisse chez le soldeur du coin, dit Carolyne.

— J'en doute...

Mike se tourna vers Liz.

— Quand allez-vous annoncer à Hugh que la vente est tombée à l'eau ?

Elle se leva, un peu gênée.

— Tout de suite, je pense, dit-elle. Autant vaut me débarrasser de ça le plus tôt possible. Pourquoi ?

Mike lui ouvrit la porte.

— Parce que je veux lui parler de ces papiers et que je ne veux pas interrompre votre conférence.

Liz regarda sa montre.

— Laissez-moi un quart d'heure, dit-elle.

— Prenez votre temps. J'ai mes bagages à faire, et plus tard, il faut que j'aille à Trenby pour affaire. Pourquoi ne dînerions-nous pas là-bas ? Cela remonterait peut-être le moral de Hugh. Qu'en pensez-vous, Carolyne ?

— J'en pense beaucoup de bien... Sauf que madame Reese a probablement mis le dîner en train ici.

— Elle peut le retirer du feu, ou faire le nécessaire. N'ayez pas cet air désapprobateur : je suis sûr

qu'elle sera enchantée d'être débarrassée de nous
pour la soirée. Allez préparer le terrain, Liz.

— J'en serai ravie. Une soirée dehors nous fera
du bien à tous.

La soirée, pourtant, ne fut pas à la hauteur de
ses espoirs. L'unique hôtel qui consentît à leur servir
à dîner dans la petite ville galloise semblait avoir
été construit sous le règne d'Henry VIII. Liz déclara
que cela avait un certain charme, mais n'ajoutait
pas au confort des clients.

Ils dînèrent dans une salle de bal pleine de
courants d'air, assis sur des chaises dorées et bran-
lantes en écoutant un lugubre programme de musique
de chambre. Les membres du trio à cordes étaient
des femmes sur le retour, au poids exagéré, vêtues
de robes identiques en taffetas bleu.

Après une œuvre de Mozart particulièrement
maltraitée, Hugh soupira :

— Je comprends maintenant pourquoi les Beatles
ont été décorés de l'Ordre de l'Empire britannique
pour services rendus au pays !

— Bah... ! dit Mike, en sciant une côtelette
d'agneau, le maître d'hôtel nous a dit qu'elles joue-
raient des airs de danse.

— Au train où se fait le service, dit Liz, les mu-
siciennes seront parties quand nous en arriverons
au dessert !

— Dès qu'elles joueront quelque chose datant
du vingtième siècle, nous bondirons sur la piste !
promit Hugh.

Quand le morceau suivant fut l'assassinat d'une
danse en vogue, les quatre amis riaient tellement

qu'ils eurent peine à se mettre à danser. Mike invita Liz et Hugh, joyeusement, entoura Carolyne de ses bras.

— Voilà qui rachète la soirée, dit-il, dansant un passable fox trot. C'est chic à Mike de nous avoir invités.

— Surtout quand nous l'avons vu arriver tellement tard, dit Carolyne avec indignation. Je me demande à qui il a pu téléphoner aussi longuement ?

Elle s'en doutait du reste et cela ne lui faisait aucun plaisir.

La manière dont Mike l'avait traitée pendant le trajet jusqu'à Trenby, en sœur cadette un peu sotte, n'avait rien arrangé. En la voyant avec sa robe de lainage noir la plus chic, avec un col et des poignets de satin blanc, il lui avait seulement demandé si elle n'aurait pas froid pendant le trajet de retour.

Elle avait dû reconnaître qu'il avait raison et son humeur ne s'en était pas améliorée. Après quoi, elle avait été envoyée sur la banquette arrière avec Hugh et promptement oubliée.

Hugh, tout au moins, avait fait son devoir.

— Vous êtes formidable ! dit-il avec enthousiasme en tournant autour de la salle de bal. Vous êtes sûre que vous n'avez pas un million de dollars ?

— Absolument sûre, dit-elle en riant. Un billet de loterie ferait-il l'affaire ?

— Je peux toujours le prendre comme acompte. Et pour vous, je crois que je vais faire une exception.

— Vous êtes si gentil, Hugh ! dit-elle. Je suis désolée que le vieil Henry ait téléphoné cette mauvaise nouvelle.

Il l'embrassa légèrement sur le front.

— N'y pensez pas. A la vérité, je m'y attendais.

Si j'avais des milliers de dollars américains à dépenser, je n'achèterais pas un château gallois au toit en passoire. Quand j'habiterai Hong Kong, je n'aurais pas à m'inquiéter de la pluie.

— Ou s'il pleut chez vous, vous téléphonerez au gérant pour qu'il fasse réparer le toit.

— Exactement. C'est très bien, Hong Kong. Vous êtes sûre que ça ne vous tente pas ?

— Bien sûr que si, ça me tente ! Je dépenserais mon dernier penny pour acheter ces merveilleuses robes chinoises !

— Si vous êtes aussi jolie que vous l'êtes ce soir, je n'y verrais pas d'inconvénient. Carolyne, je parle sérieusement.

Elle leva les yeux sur lui.

— Je commence à le croire, dit-elle.

Elle secoua la tête, et ajouta :

— Mais ne le soyez pas. Ce soir, nous...

— Nous faisons la fête, interrompit l'Anglais en riant. Dans ce mausolée, avec ces horribles femmes et leur musique... !

— Maintenant, dit Carolyne, je comprends l'idée des agences de voyage quand elles vous disent que le pays de Galles est incomparable !

— Voulez-vous ne pas dire de choses pareilles ! Il y a des endroits chez nous qui en remontreraient à Londres. Demandez plutôt à Mike.

— Pourquoi Mike ? Connaîtrait-il ce pays ?

Elle parlait plus vivement qu'elle ne l'aurait voulu.

— Bien sûr, dit Hugh. D'abord, c'est son pays d'origine, ne vous l'a-t-il pas dit ? « Evans » est un nom courant par ici, comme Jones ou Smith aux Etats-Unis.

— Je n'avais pas pensé à ça !

Du regard, Carolyne fit le tour de la salle : elle découvrit Mike qui dansait avec Liz tout en discutant avec animation. Il dansait vraiment très bien ! décida-t-elle après un examen suffisamment prolongé.

— Quelle drôle d'histoire il me racontait, avec ces papiers à en-tête ! disait Hugh. J'ai posé la question à Reese, naturellement, mais il n'est au courant de rien.

« Cela va sans dire ! » pensa Carolyne. Tout haut, elle demanda :

— Il ne sait pas d'où viennent ces papiers ?

— Non. A moins que son neveu ne les ait laissés à l'une de ses visites.

Carolyne fronça les sourcils, cherchant à se rappeler ce qu'elle avait entendu dire du neveu de Reese.

La musique s'arrêta. Il y eut quelques maigres applaudissements de certains danseurs, puis les couples regagnèrent leurs tables et les dames de l'orchestre annoncèrent qu'elles se reposaient un moment.

— Etes-vous prêts à partir ? demanda Mike.

— Je pense, oui, répondit Carolyne. Où est Liz ?

— Elle est allée chercher son manteau. Elle nous rejoindra à la sortie.

— Il faut repartir en effet, dit Hugh. Nous avons de la route à faire. Dommage que vous n'ayez pu danser avec Carolyne, Mike !

Un vague grognement qui ne signifiait rien répondit. Carolyne pensa qu'il aurait pu faire montre de plus de regret, tout au moins pour sauvegarder les apparences. Comme il tendait la main vers son bras pour descendre les marches du perron, elle se rapprocha d'Hugh qui lui prit le coude.

— Je vais chercher la voiture, dit Mike sèchement.

Il partit en avant.

— Quelle mouche le pique ? demanda Hugh.

— Peut-être n'a-t-il pas reçu de réponse satisfaisante à ses coups de téléphone, dit Carolyne d'un ton léger. Nous n'en saurons rien.

— Pour cela, vous avez raison : il a l'intention de partir de bonne heure demain matin. Croyez-vous qu'on pourrait le décider à rester encore un peu ?

— Demandez à Liz : ils ont l'air de s'entendre comme larrons en foire. S'il part pour assister à un tournoi de tennis, pourtant, rien ne le retiendra !

— Non, Wimbledon ne commence que dans huit jours. Apparemment, il a changé ses projets.

— Ou c'est sa petite amie qui les a changés, dit Carolyne.

Hugh semblait dubitatif.

— Il ne m'a rien dit de ça. Vous êtes sûre ?

— Je suis sûre de l'existence de la petite amie, une superbe Italienne rousse !

Hugh siffla entre ses dents.

— Quel ensemble !

— Elle a peut-être une amie ? suggéra la jeune fille moqueuse.

— Ma chère Carolyne, je laisse sa belle Italienne à Mike. Je préfère une ravissante Américaine blonde aux yeux noisette !

— ... Quand vous oubliez une délicieuse Ecossaise nommée Sylvia, riposta Carolyne. Je voudrais que Mike arrive avec la voiture avant que nous ne soyons tout à fait frigorifiés... ! Où peut être passée Liz ?

— La voilà, dit l'Anglais, et voilà la voiture. Vous serez réchauffée en un rien de temps. C'est l'un des avantages du siège arrière ! ajouta-t-il avec un sourire ironique.

CHAPITRE X

Pendant tout le trajet du retour, les occupants de l'arrière eurent droit à une question du conducteur, leur demandant s'ils étaient confortablement installés, après quoi Carolyne ne vit que le dos et la nuque de Mike. En arrivant à Lyonsgate, ce dernier fit descendre ses passagers devant la porte, puis alla garer la voiture de l'autre côté du château.

Hugh prit le bras de Carolyne qui se disposait à suivre Liz.

— Attendez un instant... Vous ne voulez pas faire un tour ?

— Il faut d'abord que j'aille chercher un manteau, dit la jeune fille.

— Prenez le mien, offrit Liz.

Elle retira un élégant manteau de laine blanche qu'elle tendit à Carolyne.

— Je ne la garderai pas longtemps dehors, dit Hugh. Surtout, sonnez Reese si vous et Mike avez envie de boire quelque chose.

— Entendu. 'Soir, Hugh.

— Bonne nuit. Prête, Carolyne ?

— Oui. Où allons-nous ?

— Allons du côté de la chapelle : vous aurez la vue sur la mer au clair de lune.

— Malheureusement, le croissant de lune est tellement petit qu'il ne compte pas, dit la jeune fille.

Ils s'engagèrent dans le sentier.

— Je vais vous décrire les clairs de lune à Burma. Vous ne pouvez imaginer la beauté des nuits tropicales...

Carolyne pouffa. Il s'arrêta.

— Qu'y a-t-il de si drôle ?

— On dirait un placard publicitaire !

Hugh la secoua un peu et l'attira contre lui.

— Continuez sur ce ton et je comprendrai pourquoi les Américains préfèrent les Italiennes, dit-il. Ne plaisantez pas quand j'essaye de vous mettre dans l'ambiance !

— Plaisanter est plus prudent. Qu'en est-il de Sylvia ?

Hugh s'arrêta.

— Bon. Parlons de Sylvia. Vous ne croyez pas qu'elle se laisse embrasser à l'occasion au clair de lune ?

Carolyne passa un doigt sur la joue de Hugh.

— Alors... vous avez compris la situation, dit-elle.

— Tout à fait bien. Et pour finir, je retournerai à Sylvia et aux fichus biscuits de son père parce que vous en aimez un autre. C'est bien ça, n'est-ce pas ?

Elle hésita un moment, puis elle hocha la tête.

— Et cela n'a aucun rapport avec la fortune ou les châteaux ? continua Hugh.

— Ou quoi que ce soit d'autre. Et c'est sans espoir. Parce qu'il aime ailleurs.

Hugh prit la jeune fille dans ses bras.

— Alors... vous ne croyez pas que nous pourrions très bien nous entendre ?

Il lui caressa la tempe de ses lèvres.

— Tout au moins pour le moment ?

Carolyne ne prit même pas la peine de lui répondre. Elle leva la tête et passa ses bras autour du cou du jeune homme qui n'attendit pas autre chose. Il l'embrassa, doucement d'abord, puis avec plus de passion tandis que ses mains la caressaient.

— Non, je vous en prie, dit-elle.

Il la libéra de mauvaise grâce et elle s'écarta de lui.

— Pardonnez-moi, dit-il. J'espère que je ne vous ai...

Elle interrompit ses excuses par un petit baiser sur le menton.

— Nous avons oublié Sylvia un instant, dit-elle, mais inutile d'en dire davantage.

— Ma chérie... Etre près de vous suffit à faire perdre la tête à un homme !

Il voulut l'attirer contre lui de nouveau...

— Excusez-moi si j'interromps quelque chose, dit Mike.

Il était à six pas d'eux, dans le sentier.

— Je croyais que vous m'aviez entendu venir.

Il se pencha et ramassa le manteau blanc que Carolyne avait laissé tomber sur le sol.

— Permettez-moi...

Elle lui arracha le vêtement qu'il allait mettre sur ses épaules.

— Merci, dit-elle sèchement, je peux me débrouiller. Comment vous aurions-nous entendu ? ajouta-t-elle avec irritation.

— La prochaine fois, je ferai partir des pétards.

— Cela n'a aucune importance, dit Hugh.

— Cela en a pour moi. Je ne vois pas pourquoi il trouve nécessaire de nous espionner ! s'écria Carolyne.

Elle serra le manteau autour d'elle.

— Je ne vous espionnais pas, dit Mike, j'ai beaucoup mieux à faire. Si cela ne vous fait rien, il faut que je parle à Hugh ce soir. Liz m'a dit que vous étiez partis par ici.

— Cela me fait penser... J'ai oublié de donner des instructions à Reese avant notre départ, s'exclama Hugh. Voulez-vous ramener Carolyne au château, Mike ? Je serai dans mon bureau quand vous voudrez me parler.

Il serra l'épaule de la jeune fille.

— A plus tard, dit-il.

Mike le suivit des yeux.

— Il est à sa place dans la diplomatie ! dit-il.

— Ne vous étonnez pas! dit Carolyne furieuse. Qui voudrait rester au milieu d'un conflit ?

— Je ne m'étonne pas. C'est votre affaire, pas la sienne. Mais si vous avez envie de vous faire embrasser, je vous conseillerais de choisir un autre endroit que le sommet d'une falaise nue au clair de lune !

— Vous avez un toupet d'enfer ! D'abord, je ne me « faisais pas embrasser », et ensuite, n'importe quel homme bien élevé aurait eu la décence de signaler sa venue !

Mike enfonça ses poings dans ses poches avec une inutile énergie. D'après son visage, on pouvait le croire désireux d'agir avec plus de brutalité encore.

— Comme vous voudrez, dit-il enfin avec lassitude. De toute façon, vous ferez ce que vous vou-

drez. Je n'ai pas eu l'avantage sur vous une seule
fois depuis que je vous ai ramassée sur la route à
Bath.

— Ce n'est pas faute de vous y être efforcé !

— Là, vous avez raison.

Il y eut dans sa voix une ombre de mélancolie.

— Croyez-le si vous voulez, mais je ne voulais
pas vous embarrasser, Hugh et vous. C'est un garçon bien, poursuivit Mike lentement. Quand il sera
délivré de ses dettes, il sera en position d'offrir à
une femme quelque chose de tout à fait satisfaisant.

— Qu'est-ce que ça peut vous faire ?

— Si vous voulez bien vous calmer, je vous le
dirai.

— Bon... Je regrette, dit Carolyne avec effort.

Il répondit par un faible sourire.

— Très bien. Excuses acceptées. Je voulais vous
conseiller de ne plus penser à ces papiers de l'Alimentation Wellington. Il n'y a aucun moyen de
savoir pourquoi le neveu de Reese les a laissés là.
Apparemment, il ne prenait pas les vieux pour confi-
dents. Et une chose est certaine : si Hugh vend le
château, vous ne resterez pas dans ce pays. C'est
donc sans aucune importance.

Il regarda le visage préoccupé de la jeune fille.

— Vous n'écoutez pas...

— Si, j'écoute... au moins en partie. Je viens de
me rappeler où j'ai entendu parler du neveu de
Reese. Le médecin m'a dit qu'il venait souvent au
château en l'absence d'Hugh.

— Et alors ?

— J'en cherche probablement trop long... mais
d'après le ton du médecin, il n'appréciait guère le
neveu. Je me demande pourquoi ?

Mike regarda la mer tranquille.

— Je n'en sais rien, dit-il. Ecoutez... soyez logique ! Comment diable prouverions-nous quoi que ce soit ? Même si le neveu de Reese conduisait une camionnette semblable à celle qui vous a bousculée et qu'il l'amenait devant la porte du château pour que nous l'examinions, je parie que vous ne vous souviendriez pas de la tête du chauffeur !

Carolyne poussa un soupir découragé.

— D'accord. Je renonce. Si je continue à poser des questions, je ne ferai qu'inquiéter Hugh. Alors, laissons courir ! Ce qui s'est passé pendant cette semaine au pays de Galles n'aura plus d'importance pour aucun de nous dans quelques jours.

Mike ouvrit la bouche pour répondre, et la referma sans rien dire. Lentement, il marcha auprès d'elle pour regagner le château.

— Une semaine parmi tant d'autres, reprit Carolyne doucement. Mais je ne l'oublierai certainement pas. Et vous, Mike ?

Il s'arrêta sans retirer les mains de ses poches.

— Non, dit-il brusquement, je ne l'oublierai pas. Venez, Carolyne, il est tard et il faut que je parle à Hugh.

Elle cacha sa déception. Il était totalement indifférent.

— Allez en avant, dit-elle. Je vais rester dehors encore un peu. Ne vous inquiétez pas, je ne vais pas m'éloigner.

Il restait obstinément à côté d'elle.

— Allez donc ! dit-elle enfin. Ne comprenez-vous pas ? J'ai envie d'être seule. Pour l'amour du ciel, ne m'obligez pas à faire un dessin !

Il n'essaya pas de répondre, cette fois. Il s'en alla simplement vers le château sans tourner la tête.

Carolyne poussa un long soupir, battit des paupières pour retenir ses larmes et pensa que bientôt elle ne serait plus bouleversée par la présence de Mike. Mais ce raisonnement, au lieu de la réconforter, la força à fouiller dans son sac pour en tirer un mouchoir. Elle s'essuya les yeux et se moucha, unis elle partit en direction du château.

Elle se rappela plus tard qu'elle n'avait pas choisi son chemin. Elle se borna à suivre un sentier bien tracé en songeant au départ de Mike, le lendemain matin.

Ce fut un bruit métallique qui lui fit lever les yeux avec surprise. Elle tendit l'oreille, perçut un choc et des voix masculines. Des voix irritées.

Elle essaya de distinguer quelque chose ; la dispute venait de derrière le château, il y avait là une cour où une voiture pouvait se garer à proximité de la cuisine, le laitier y amenait son camion. De là, on pouvait accéder, par une allée, au garage situé un peu plus loin. Mike avait dû y conduire sa voiture un peu plus tôt.

Carolyne hésita un instant, puis décida d'aller jeter un coup d'œil sur ce qui se passait dans le domaine des Reese. Elle avança prudemment : la façade du château étant obscure, il ne devait y avoir d'activité que derrière. Au moins cette fois, elle allait découvrir quelque chose par elle-même !

Elle continua d'avancer, faisant plus de bruit qu'elle ne l'aurait voulu. Puis la lune fut cachée par un nuage et il lui fallut une minute pour s'accoutumer à l'obscurité ; après quoi elle avança de nouveau pour se heurter à un buisson épineux où s'acheva la carrière de ses bas. La meilleure manière d'explorer les taillis, décida-t-elle, était de commencer par se munir d'une lampe électrique et d'un étui de pansements.

Finalement, elle contourna l'angle du château. Une faible lueur venant de la cuisine éclairait ce qu'elle avait devant elle. Il n'y avait pas à s'y tromper. Il s'agissait bien de la camionnette de livraison qu'elle connaissait. Elle était arrêtée tout près de l'entrée du cellier, avec l'arrière béant.

S'assurant qu'il n'y avait personne aux alentours, Carolyne s'approcha du véhicule : peut-être saurait-elle ce qui se passait à Lyonsgate à une heure aussi tardive.

Un léger bruit à ses pieds la fit sauter en arrière avec un cri étouffé : glacée d'effroi tout d'abord, elle fit une grimace en constatent qu'elle n'avait fait que mettre en fuite un petit animal ! Idiote! pensa-t-elle. Bientôt, elle allait s'imaginer que le fantôme du château surgissait derrière une haie !

Mais ce n'étaient pas des voix de l'au-delà qu'elle avait entendues ! Elles résonnaient sur un ton qui datait indiscutablement du vingtième siècle !

Elle s'approcha pour mieux voir la camionnette, y prêtant plus d'intérêt maintenant qu'aux frémissements nocturnes autour d'elle. Plus tard, elle se dit que c'était précisément cela qui l'avait rendue plus vulnérable.

Quand une main se posa lourdement sur son épaule, elle fut si interloquée qu'elle demeura figée sur place pendant la minute vitale qui lui aurait permis de s'enfuir.

Quand elle reprit son équilibre et commença à crier, la main plaqua sur sa bouche et son nez un linge humide, à l'odeur écœurante. Elle se débattit désespérément, mais il lui sembla que des éclairs lui traversaient la tête pour s'éteindre brusquement. Elle s'effondra sur le sol.

⁂

Ce qui se passa pendant les heures suivantes demeura un mystère pour Carolyne. Tout ce dont elle se souvint plus tard fut qu'elle avait traversé le moment le plus désagréable de sa vie.

Quelques éléments la frappèrent quand elle reprit conscience par moments : le froid et l'humidité, si pénétrants qu'elle avait l'impression d'avoir été entreposée dans l'humidificateur d'un réfrigérateur.

Comme elle avait un bandeau sur les yeux et qu'elle était ligotée et bâillonnée, il lui était impossible de savoir où elle était ou de connaître le propriétaire des mains brutales qui de temps à autre la transportaient comme un sac de pommes de terre. Parfois, on discutait dans un langage inconnu, mais elle était incapable d'identifier les voix.

L'anesthésique la rendait affreusement malade et, finalement, on lui retira son bâillon.

— Taisez-vous ! lui ordonna un rauque murmure, ou je vous le remets ! Et il sera deux fois plus serré !

Carolyne hocha la tête en guise de réponse. Elle pouvait à peine se redresser sur son siège à cette minute et pousser le moindre cri était très au-dessus de ses forces.

Un peu plus tard, on la remit sur ses pieds et on la poussa sur un terrain raboteux. Evidemment, elle ne marchait pas assez vite : le tampon nauséabond fut appliqué de nouveau sur son nez et elle reperdit conscience.

Il avait dû s'écouler des années, pensa-t-elle, quand elle s'éveilla suffisamment pour sentir qu'on lui déliait les poignets et qu'on retirait le bandeau qui l'aveuglait.

— Cariad ! Vous serez délivrée dans un moment ! dit une voix basse, masculine. Tâchez de tenir encore quelques minutes.

Cette fois, les mains étaient douces et une chaude couverture fut tendrement disposée autour d'elle.

— Froid... si froid..., murmura-t-elle.

Elle n'était qu'à demi consciente.

— Vous aurez chaud bientôt, dit la voix rassurante.

Elle fut soulevée, avec la couverture, et appuyée contre un large torse.

— Vous aurez chaud dès que je vous aurai ramenée au château.

Elle entrouvrit les yeux mais elle aperçut seulement la forme d'une tête au-dessus d'elle.

— Hugh...

Elle articulait avec difficulté.

— Ramenez-moi... à la maison.

— Tout de suite, cariad...

Un instant, une joue frôla le haut de sa tête pour l'apaiser. « Pauvre Hugh »... pensa-t-elle sans aucune logique.

Puis ce fut trop pénible de réfléchir, ou de parler, ou de faire n'importe quoi, sauf se laisser aller dans ces bras robustes.

Quand elle ouvrit les yeux une fois de plus, elle était dans sa chambre au château et le soleil inscrivait des dessins sur son couvre-pieds. Elle voulut se redresser et retomba avec un gémissement.

Liz bondit hors de son fauteuil, près de la cheminée.

— Caro... ma chérie... Avez-vous mal ?

Carolyne réussit à s'appuyer sur un coude. Le visage anxieux de Liz se penchait sur elle.

— Je ne voulais pas vous faire peur, dit Carolyne.

Son regard s'emplit d'appréhension.

— Liz... je suis vraiment ici ? Au château ? Avec vous ?

— Je comprends, mon chou, dit Liz affectueusement. Oui, vous êtes là et vous irez tout à fait bien après encore un peu de repos. Votre cher médecin est venu aux premières lueurs du jour pour vous examiner.

Carolyne se frotta le front. Elle ne savait pas si sa migraine lui faisait plus mal que la douleur brûlante de la bosse au-dessus de l'oreille récoltée lors du glissement de terrain.

— J'ai l'impression d'être une échappée de l'hôpital, dit-elle.

— Le médecin pense que vous avez de la chance d'avoir la tête dure, parce que c'est évidemment nécessaire quand on vient faire un séjour à Lyonsgate. Il a prié Hugh de ne pas l'inviter pour le week-end : il ne pense pas être assez costaud pour supporter l'épreuve ! dit Liz.

Elle sourit.

— Je crois qu'il était à moitié sérieux. Il faudra qu'Hugh explique les choses, sans quoi tout le pays aura peur de lui !

Carolyne tira un oreiller derrière son dos. Son univers se stabilisait. Elle aurait aimé en dire autant de son estomac.

— Je me sens horriblement mal ! annonça-t-elle tristement.

Liz s'assit au bord du lit et lui tapota la main.

— Je sais... on est comme ça après avoir res-
piré de l'éther. Le médecin a annoncé que vous
seriez mal à l'aise. N'aimeriez-vous pas un peu de
thé ? Je viens d'en monter de la cuisine.

Carolyne réfléchit.

— Ce sera la mort ou la guérison ! dit-elle, mais
n'importe quoi vaut mieux que l'état où je suis
maintenant. Je vais essayer.

Elle regarda Liz remplir une tasse. Elle baissa
les yeux un instant et les releva soudain.

— Liz... où est Nounours ?

La théière faillit tomber au milieu des tasses.

— Qui cela... ? Oh ! Vous parlez du tapis ? Je
pense qu'une des femmes de ménage l'a remis dans
la chambre de Mike. C'était sa place, non ?

— Oui, évidemment...

Elle ne pouvait guère avouer que l'animal lui
manquait : tout pelé qu'il fût, c'était un lien avec
une chose familière et aimée. Mélancoliquement,
elle s'adossa à ses oreillers et prit la tasse que lui
tendait Liz.

— C'est probablement plein de mites, dit-elle,
s'efforçant d'être raisonnable.

— La chambre de Mike ? Je ne pense pas. Ces
femmes de ménage travaillent remarquablement, vu
la surface qu'elles doivent nettoyer...

— Je parle de la peau d'ours.

Elle but quelques gorgées et fronça les sourcils
comme s'il s'agissait de poison.

— Il aurait tout de même pu se demander si
j'étais morte ou vivante ! dit-elle tout à coup.

— L'ours ?

Liz la regarda avec inquiétude et se dirigea vers
la salle de bains.

— Je vais tremper une serviette dans l'eau fraîche pour la mettre sur votre tête, dit-elle.

— Revenez, je vous en prie.

Carolyne tendit une main, manquant renverser sa tasse de thé.

— Cessez de me prendre pour une folle ! dit-elle. Naturellement, je parlais de Mike.

Liz se retourna et mit ses mains sur ses hanches.

— Naturellement ! dit-elle avec ironie. Je regrette que le médecin ne soit pas resté plus longtemps, il aurait pu écrire une page de notes sur l'état mental de ses malades. Je vous précise que je parle de Carolyne Drummond, au cas où vous n'en seriez pas certaine.

— Je le pensais bien, dit la jeune fille sans se formaliser.

Elle but une autre gorgée de thé et décida que le liquide fumant lui faisait plaisir, finalement. Si elle continuait à s'améliorer à cette allure, elle pourrait bientôt se lever et s'habiller.

Sans doute Liz lisait-elle dans sa pensée ?

— N'imaginez pas que vous allez quitter ce lit de douleur ! Le médecin revient cet après-midi pour signer le permis de vous rendre la liberté. Jusque là, vous ne bougez pas.

Carolyne s'inclina.

— Comme vous voudrez, dit-elle. Liz... je voudrais rentrer chez nous !

— Vu ce qui s'est passé ici, je vous comprends.

Liz débarrassa la jeune fille de sa tasse et s'assit sur le lit.

— De plus, puisqu'Henry n'achète pas Lyonsgate, mieux vaut laisser Hugh en paix. Mais je ne comprends pas... Je croyais que ce garçon vous avait invitée pour la vie ?

— Hugh a passé trop de temps à Burma. Quand il aura enfin renoncé à son amour propre pour songer à ses finances, il volera vers l'Ecosse et sa Sylvia. Je... je me suis seulement trouvée là au bon moment pour l'aider à franchir une mauvaise période. Nous nous sommes soutenus mutuellement.

— Votre histoire ne coïncide guère avec ce que j'ai entendu dire par ailleurs. Etes-vous sûre que votre version soit la bonne ?

Carolyne garda la tête baissée.

— C'est pourtant cette version-là qui prévaudra, dit-elle d'un ton léger, mais décidé. Ce thé m'a fait du bien : j'aimerais bien quelque chose d'autre.

Liz se leva.

— Vous m'étonnez ! dit-elle. J'étais sûre que vous mouriez d'envie de savoir ce qui s'est passé, et vous demandez un œuf à la coque et l'heure du prochain train pour Londres !

Cette fois, Carolyne releva la tête. Elle avait encore une ombre sous les yeux mais son regard était clair.

— En effet, dit-elle. C'est exactement ce que je veux, que cela plaise ou non à Henry.

— N'allez pas trop vite, Caro...

On frappa à la porte. Avec un petit soupir de soulagement, Liz alla ouvrir. Carolyne se redressa en pensant : « Il serait temps qu'il se montre, celui-là ! »

— Hugh ! s'écria Liz, Dieu merci, vous voilà ! Notre malade devient difficile : j'ai besoin d'aide.

Carolyne retomba contre ses oreillers.

— Comment va-t-elle ? demanda Hugh à voix basse.

— Remise à neuf ! répondit la malade elle-même. Entrez, je vous en prie ! Mon seul problème, maintenant, est que j'ai faim. Je secoue Liz pour qu'elle aille me chercher quelque chose à manger.

— Maintenant qu'il y a quelqu'un pour vous surveiller, dit Liz, j'y vais. J'apporterai même du café pour nous, Hugh.

— Parfait, dit Hugh, mais faites-le vous-même : les Gallois ne sont pas forts pour faire le café.

— Madame Reese pourrait prendre quelques leçons, admit Carolyne.

— Oui, mais elle ne...

Liz s'interrompit, son regard rencontrant celui d'Hugh.

— Je vais revenir avec votre déjeuner, dit-elle en se hâtant vers la porte.

— Et maintenant, dit Carolyne à Hugh, je crois qu'il est temps de m'expliquer ce qui se passe ici. Et je vous en prie, inutile de ménager la pauvre malade ! D'abord, comment vous êtes-vous aperçus de ma disparition ?

— C'est à Mike que nous le devons, dit Hugh.

Il croisa ses longues jambes et s'installa confortablement dans le fauteuil.

— Cela m'ennuie de le reconnaître, mais c'est lui qui a donné l'alarme. Il m'a carrément tiré de mon lit en disant que vous n'étiez nulle part dans la maison. Il avait déjà cherché partout, à l'intérieur et à l'extérieur, et découvert la camionnette du neveu de Reese arrêtée près des anciennes écuries.

— Le neveu de Reese ! s'écria Carolyne, les yeux ronds. Alors... C'était lui depuis le début ?

— Certes, oui. Le traître de la tragédie. Une assez vilaine affaire.

Carolyne se mordit les lèvres pour ne pas rire de ce ton solennel.

— Si c'est lui qui m'a collé ce tampon empesté sous le nez et m'a rendue malade pendant des heures, c'est en effet une belle fripouille !

— Euh... oui... Sans aucun doute.

Hugh était un peu gêné par tant d'énergie.

— Vous l'avez trouvé dans la camionnette ?

— Non. Il n'y avait pas une âme par là quand Mike l'a découverte, et elle était vide. La camionnette était la clé de l'énigme.

— La camionnette ?

— Non : ce qu'il transportait dedans de temps à autre.

Carolyne plissa le front.

— Voulez-vous dire que c'étaient des choses volées ?

— Non, dit Hugh. La marchandise était payée, mais c'était bien le seul détail légal de l'affaire. La contrebande d'armes ne plaît pas du tout aux douanes de Sa Majesté.

La jeune fille en resta bouche bée.

— Je n'avais pas pensé à ça un seul instant ! dit-elle. Mais pourquoi baladait-il des armes de contrebande en pays de Galles ?

— Il faudrait regarder une carte pour trouver la réponse, dit Hugh.

— L'Irlande ! articula Carolyne. Evidemment ! Il doit y avoir un fameux marché pour les armes de contrebande par là !

— Malheureusement, oui.

— Et la barque de pêche... faisait le transport par eau !

Hugh hocha la tête.

— Ne me demandez pas de quel côté de l'Irlande elles allaient car les autorités britanniques ne donnent sur ce point aucune précision. Mais elles admettent qu'elles sont ravies d'avoir rompu un maillon de la chaîne. Le mois dernier, la police hollandaise a saisi des armes tchèques sur un avion à Amsterdam ; le mois précédent, les douanes de la république irlandaise ont trouvé des malles remplies de mitraillettes et de grenades qu'on débarquait d'un bateau de plaisance. Celles-là venaient de New York.

— Je n'avais aucune idée...

— Cela a été un coup pour moi aussi. Jamais je n'avais pensé que ces gens utiliseraient nos grottes pour se remettre à la contrebande ! J'aimais mieux celle de l'ancien temps, quand il s'agissait de faire entrer du vin, du cognac et du velours !

— Seigneur, oui ! Le neveu de Reese avait-il des armes à bord quand je l'ai vu à Chepstow ?

— Evidemment. Et il ne voulait pas qu'on mette le nez dans ses caisses de « fromage ». Au fait, Reese était avec lui ce jour-là. Ça lui a fait un choc quand il vous a vue à Lyonsgate deux jours plus tard !

— Je m'en doute. Dommage que son neveu ait si mal réussi !

— D'après ce qu'ils disent, ils n'avaient pas de sinistres intentions en vous bousculant ; ils voulaient seulement partir au plus vite. Auparavant, ils avaient chargé les caisses à Cardiff. Les armes venaient avec des envois de fromage tout à fait licites, commandés par la compagnie Wellington. Le fromage était un paravent magnifique pour les douaniers. Après avoir examiné quelques caisses innocentes, ils laissaient aller le reste sans faire d'histoire. Les patrons des contrebandiers étaient assez malins pour envoyer les armes dans des ports divers pour ne pas éveiller la méfiance. Comme le neveu de Reese travaillait pour l'Alimentation Wellington, il combinait commodément ses deux activités. Apparemment, les gens de la compagnie sont au-dessus de tout soupçon, mais ils doivent tout de même être assez gênés aujourd'hui. Je ne voudrais pas être à la place de l'individu qui a embauché le jeune Reese !

— Il doit être en chemin pour la Nouvelle-Zélande avec un aller simple.

— Vous pourriez bien dire vrai. Les douanes britanniques vont certainement s'intéresser de près maintenant aux expéditions de fromages ! La marchandise marchera toute seule quand elles auront fini de l'examiner !

— C'est possible ! dit Carolyne avec un sourire compatissant. Mais je ne comprends pas encore très bien comment ils s'y prenaient pour leur contrebande : où mettaient-ils les armes en attendant de les transporter en Irlande ?

— Où pouvaient-ils trouver un entrepôt plus commode que le château désert de Lyonsgate ? demanda Hugh avec une grimace. Que croyez-vous que je pense de cela ?

— Mais... vous n'êtes revenu que la semaine dernière !

— C'est ma seule excuse et mon alibi, Dieu merci ! Reese a été forcé de collaborer à l'affaire. Malheureusement, il a été arrêté pour contrebande il y a des années. Le neveu l'a menacé de dévoiler le fait s'il ne consentait pas à l'aider. Comme je n'étais pas là, le pauvre vieux a trouvé plus simple de tout accepter. Malheureusement, je suis revenu, et pire encore...

— Le château a été envahi par des acheteurs éventuels, acheva la jeune fille. Et j'ai eu l'audace d'entendre des bruits bizarres la première nuit ! Et au fait, comment ai-je pu entendre quoi que ce soit ? La cuisine est très loin de ma chambre !

— Ils ne déballaient pas les armes dans la cuisine, dit Hugh. Ils les entreposaient dans l'ancien tunnel des contrebandiers. Le souterrain suit le mur du château et fait caisse de résonance.

— Je croyais ces souterrains murés ?

— Ils l'étaient... jusqu'à une époque récente. Malheureusement, le jeune Reese connaissait leur existence et il a pensé que ce serait une cache idéale. Il lui a suffi de faire tomber quelques briques et le tour était joué. Mêmes ses visites régulières à Lyonsgate ne pouvaient pas provoquer de commentaires ; son oncle disait seulement que son neveu venait le voir. La plupart des gens préfèrent éviter les ennuis, expliqua Hugh. D'ailleurs, franchement, jamais je n'aurais pensé à soupçonner le vieux Reese jusqu'à ce que Mike découvre le pot aux roses.

CHAPITRE XI

Encore Mike ! Carolyne souhaitait avec ferveur qu'il ne fût pas mentionné dans la conversation.

Rien qu'entendre son nom suffisait à lui tendre les nerfs comme des cordes de violon. Elle prit un ton léger.

— Qu'a fait Reese quand il s'est trouvé confondu ?

— Pour commencer, nous ne l'avons pas trouvé, ce qui valait mieux car cela nous a permis de nous occuper de sa femme. Quand je lui ai dit qu'il nous fallait appeler la police, elle a piqué une crise de nerfs ! Ensuite, elle a parlé d'abondance et, d'après ce que j'ai compris de son gallois, au début, elle ne voulait pas aider le neveu ; mais le jeune Wynn... c'est ainsi qu'ils l'appellent, est devenu mauvais : il a menacé son oncle de raconter les histoires de son passé et les vieux ont eu peur... Mais madame Reese n'avait pas tellement envie de nous dire ce qu'il en était de vous. Elle a dû deviner que là ils risquaient de gros ennuis... Mais à ce moment-là, Mike a vu le chat blanc se frotter contre les chevilles de la femme et il s'est dit qu'il y avait peut-être un moyen de passer de la grotte au château.

Hugh regarda Carolyne d'un air de reproche.

— Je ne savais pas que vous aviez vu ce chat dans la grotte ! Vous ne me l'avez pas dit en revenant.

— Excusez-moi, dit Carolyne. Je devais penser à autre chose.

Hugh ne répondit pas directement, mais son expression était éloquente.

— De toute façon, il n'y avait qu'une chose à faire : retourner dans la grotte et tenter de refaire le trajet du chat. Mais à cette heure, la marée était haute et il a fallu attendre que la mer baisse. Au moment où nous arrivions enfin sur la plage, nous avons vu cette barque de pêche qui levait l'ancre et hissait un canot à bord. A ce moment-là, nous avons jugé utile d'appeler la police et de lui dire ce que nous savions : madame Reese nous avait dit que la barque prenait les armes dans la grotte et nous voulions envoyer les gardes-côtes à leur poursuite, avant que les gars ne quittent les eaux territoriales.

— Avez-vous réussi ?

— Oh, mais oui ! L'équipage de la barque ne se doutait d'aucune complication. Quand les douaniers anglais les ont arrêtés, ils ont même trouvé le jeune Reese parmi eux : il allait chercher son argent en Irlande. Il serait revenu le lendemain par le ferry et aurait pris le train pour regagner Londres et reprendre son travail à l'heure voulue.

— Que comptait-il faire de moi ? demanda Carolyne avec indignation.

— Son oncle devait vous découvrir ce matin, évanouie, aux abords du château. Comme vous n'aviez rien vu, vous n'auriez pas pu témoigner contre votre agresseur et révéler son nom. Je suis tenté de croire que le jeune Wynn espérait que vous seriez en triste état après une nuit passée dans ce souterrain !

Hugh n'exprima pas ce qu'ils pensaient tous les deux : quelques heures de plus dans ce tunnel, et la jeune fille n'aurait plus jamais témoigné contre qui que ce fût.

Elle serra les lèvres pour les empêcher de trembler.

— Ainsi, j'avais deviné juste pour ce bateau ! dit-elle après un instant. Jamais il n'aurait dû se trouver aussi près de la côte à ce moment-là.

— J'ai appris cela tout à l'heure en parlant à la police. Le capitaine du bateau de pêche a reconnu qu'il attendait un signal de Wynn Reese au sujet du transport. Quand le jeune Reese vous a vue sur le sentier, il a voulu vous faire peur en provoquant ce glissement de terrain. D'après la police, il estime que vous lui avez porté malheur dès que vous avez paru.

— J'en ai autant à lui offrir, dit Carolyne. Je commençais à regretter d'avoir mis le pied dans ce pays !

Le visage d'Hugh s'adoucit. Il se leva et alla s'asseoir au bord du lit.

— Je suis bien content que vous l'ayez fait ! dit-il d'un ton singulièrement joyeux. Tout a si bien tourné que je crois voir enfin revenir la chance pour les Lyons. Comment aimeriez-vous achever votre existence en compagnie d'un Anglais qui est enfin délivré de ses soucis ?

Carolyne tendit la main pour serrer chaleureusement celle d'Hugh.

— Vous avez vendu le château ! s'écria-t-elle.

— J'ose à peine y croire !

— C'est merveilleux ! J'étais pleine de remords depuis que le vieil Henry a changé d'idée ! Liz était comme moi.

— C'était inutile. Et si vous n'étiez pas venues, je n'aurais jamais fait affaire.

— Je ne comprends pas... Henry a-t-il encore changé d'idée ?

Hugh secoua la tête.

— Non. Je voulais dire que sans vous, Mike n'aurait jamais entendu parler de Lyonsgate.

— Que diable Mike a-t-il à faire là-dedans ? s'exclama la jeune fille.

— Seigneur, Carolyne... C'est lui qui a acheté le château !

Devant l'air abasourdi de Carolyne, il expliqua vivement :

— Non, pas pour lui. Personnellement, il n'a pas tant d'argent que ça, mais ses patrons ont tout ce qu'il faut. Une masse de dollars à investir dans des hôtels de tous les côtés. C'est pour ça que Mike était en Europe ; il arrivait d'Italie où il était allé inspecter leur nouvel hôtel de Capri. Il est l'homme de confiance qu'on envoie chaque fois que quelque chose a l'air de ne pas tourner rond.

— Je le croyais fanatique de tennis !

— Ma chère, je me demande pourquoi ! Il avait simplement envie d'assister au tournoi de Wimbledon puisqu'il se trouvait en Angleterre.

— Ne commencez pas à le défendre aussi !

— Ce matin, je me battrais pour lui ! Il a tout prévu, il a même discuté avec les notables du village et tout était en ordre quand il a téléphoné de Trenby à son patron. L'agence de Londres m'a appelé ce matin et j'aurai les papiers cet après-midi pour la signature. Je pourrais même quitter la diplo-

matie si je veux ! Pensez ! Tellement d'argent pour
ce tas de pierres !

— Ne faites pas de coup de tête, recommanda
la jeune fille. Maintenant que vous êtes habitué au
riz, Hong-Kong vous attirera peut-être dans une
semaine ou deux.

Hugh se redressa.

— Avec une femme, ce serait encore beaucoup
mieux. Vous n'avez plus besoin d'une dot maintenant, Carolyne.

Elle sourit faiblement.

— Attention ! Vous allez vous engager sur un
terrain dangereux !

Il tendit la main pour reprendre celle de la
jeune fille.

— Et alors ? Il n'y a pas de clair de lune, mais
je ne pense pas que nous en ayons besoin.

— Hugh, mon très cher, vous seriez persuasif
sous une tempête de sable au milieu du Sahara en
plein midi !

Il se pencha vers elle.

— Assez de diplomatie, dit-il. Ne vous dérobez
pas !

— Je ne suis pas diplomate... Je suis seulement
réaliste. Au premier repas que je cuisinerais pour
vous, notre mariage serait compromis. Liz vous le
dira : je ne suis pas capable de faire un œuf brouillé !

Il sourit tendrement.

— Accordez-moi au moins quelques jours, ma
chère Carolyne. Madame Reese reste encore un peu
ici, elle nous servira de chaperon si Liz est obligée
de partir.

La jeune fille essaya de gagner du temps.

— Que va-t-il arriver à monsieur Reese ?

— Cela dépend des autorités. Pour le moment,

on lui permet de revenir dans leur cottage sur le domaine en attendant le procès.

— Comment cela a-t-il été possible ?

— Je me suis porté garant. Le superintendant de police voudrait que vous fassiez une déposition dès que le médecin le permettra.

— Oui, bien sûr.

Les sourcils de Carolyne se rapprochèrent.

— Je suis désolée de causer des ennuis au pauvre Reese, dit-elle. Après tout, il n'était qu'un pion dans l'affaire.

— Ne soyez pas trop indulgente. Quand Wynn était déjà à bord du bateau de pêche, vous geliez encore dans le souterrain. Reese ne faisait rien pour vous venir en aide quand je l'ai attrapé.

La jeune fille rougit au souvenir du sauvetage.

— Hugh ? demanda-t-elle soudain. Que signifie « cariad » ?

Il parut tout étonné.

— *Cariad ?* Je ne savais pas que vous appreniez le gallois. C'est un mot tendre, Carolyne... « Chérie... chère... très chère... » comme vous voudrez.

Il sourit.

— Ce sera un mot très pratique si vous restez dans le coin.

— Je m'en doute.

S'il avait employé le mot dans le souterrain, ce devait être pour exprimer son affectueux soulagement. Visiblement, il avait totalement oublié qu'il avait dit cela.

— ... *Cariad*...

Il prononçait le mot en la regardant.

— Cela vous va très bien. Dites-moi, cariad...

allez-vous prendre pitié de moi et rester à Lyons-gate ?

Elle secoua la tête.

— Désolée, Hugh... mais je travaille. Il est temps pour moi de rentrer au pays et de demander une augmentation de salaire après cette mission hasardeuse !

Hugh lâcha sa main et se leva.

— Je ne comprends pas, dit-il. Vous tenez absolument à considérer tout cela comme une plaisanterie !

La jeune fille lui jeta un regard suppliant.

— Ecoutez, dit-elle, après tout ce qui s'est passé, je fondrais en larmes si je ne prenais pas les choses à la légère. Inutile de me dire que je devrais accepter votre offre. Vous êtes beau comme un dieu, vous êtes un délicieux compagnon, vous avez même un titre à balancer sous le nez d'une femme... Qui pourrait résister à tout cela ?

— Je connais une femme qui résiste, dit Hugh brièvement. Et ne me dites pas que ceci peut devenir le début d'une amitié magnifique ; même en Angleterre, nous n'aimons pas cela.

— Si je restais à Lyonsgate, déclara Carolyne, ce serait probablement le début d'une magnifique aventure. Vous êtes bien trop persuasif !

— Chérie ! Je savais que vous reconnaîtriez la vérité !

Elle sourit mais secoua la tête.

— Du calme, Hugh, dit-elle. C'est pour cela que je ne reste pas. Je vous devais la vérité, mais je ne continue pas. Même dans mon présent état d'esprit. Allez en Ecosse et soyez franc avec Sylvia.

Il la regarda d'un air pensif.

— Je ne sais pas si votre conseil me plaît beaucoup, dit-il, mais je vais y réfléchir.

Il se pencha et l'embrassa doucement sur la
joue.

— Quoi qu'il arrive, Carolyne... je n'oublierai
pas ces jours passés près de vous.

Il s'interrompit et reprit plus lentement :

— Etes-vous sûre que vous n'avez pas donné à
Mike des idées fausses ? Je jurerais qu'il vous
croyait la propriété d'un autre !

— Vous n'avez rien compris ! C'est lui qui porte
l'étiquette « vendu ».

Elle secoua la tête devant son air intrigué.

— Ne vous en faites pas, dit-elle, je survivrai...
Merci tout de même pour vos bonnes pensées.

— Si vous changez d'avis, une boîte pleine de
riz envoyée par les Affaires Etrangères me par-
viendra.

— Je n'oublierai pas, dit la jeune fille en souriant.

Une porte se ferma en bas.

— Ce doit être Liz avec votre déjeuner, dit
Hugh.

Il se levait pour aller ouvrir la porte. Carolyne
le retint.

— Un instant, dit-elle. Je veux vous remercier
officiellement de m'avoir délivrée de ma prison, cette
nuit. Je crois que je n'avais plus d'espoir.

Hugh avait ouvert la porte. Il se retourna d'un
air soucieux. Liz qui entrait avec un plateau hésita
un instant avant de s'avancer vers la table de chevet.
Carolyne se redressa brusquement.

— Alors, qu'est-ce qui vous prend ? Pourquoi
faites-vous cette tête ? Qu'ai-je dit d'épouvantable ?

— Pas épouvantable, non, affirma Liz.

— Je crains que nous n'ayons pas été très clairs, chérie, dit Hugh tranquillement. Quand nous avons fini par trouver le vieux Reese dans la cave, j'ai estimé de mon devoir de le conduire moi-même aux autorités. Ce... ce n'est pas moi qui vous ai tirée du souterrain.

— Mais... qui était-ce ?

La question était de pure forme. Hugh s'excusa d'un geste.

— C'est Mike qui a eu les honneurs de la soirée. Je lui ai dit qu'il avait trop de chance !

Carolyne n'écoutait plus. Elle se tourna vers Liz.

— Pourquoi n'est-il pas venu me voir, dans ce cas ? Ne pouvait-il prendre deux minutes pour se montrer poli ?

Elle cacha ses mains sous son drap pour qu'on ne les vît pas trembler.

— Vous pouvez lui dire que je ne lui prendrai guère de temps !

Liz avait un peu pâli.

— Je ne peux rien lui dire du tout, Caro.

— Parce qu'il est parti de bonne heure ce matin, dit doucement Hugh. Il m'a chargé de vous dire adieu.

**
* *

— Ecoutez, Caro, dit Liz un peu plus tard, il faut vous arrêter de pleurer sans quoi le médecin va vous garder au lit !

Hugh, d'une manière toute masculine, avait fui précipitamment à la vue de la première larme.

— De plus, ajouta Liz, votre œuf refroidit.

— Je me fiche de l'œuf ! gémit Carolyne entre deux sanglots.

— Très bien. Vous pourrez le manger froid et dur. Et les toasts sont déjà froids.

— Je ne veux pas de toasts.

— Vous les mangerez tout de même. Je crois qu'il va faire beau ; dès que nous décidons de quitter ce pays, le soleil se montre.

Elle s'approcha du lit.

— Carolyne, nous avons perdu assez de temps. J'ai à vous parler. Mais avant ça, prenez ce mouchoir et mouchez-vous.

Carolyne se moucha.

— Voilà qui est mieux. Maintenant, essuyez vos yeux. A votre âge, vous devriez savoir que pleurer ne mène à rien. Du reste, je veux bien être battue si je sais pourquoi vous avez ouvert les grandes eaux ! Je vous croyais prête à recevoir ma bénédiction pour vos fiançailles avec Hugh ?

Carolyne tentait de refouler ses sanglots.

— Je ne comprends pas comment vous avez pu être aussi stupide ! dit-elle enfin. Il n'y avait rien de sérieux entre Hugh et moi. Dans deux jours, il comprendra qu'il l'a échappé belle !

— Ne dites pas de sottises. C'était un mariage très bien. Même Henry l'approuvait !

— Liz ! Comment pouvez-vous dire ça ?

— J'y ai fait allusion pendant notre conversation au téléphone. Après avoir surmonté le choc, il a parfaitement accepté la chose. Evidemment, cela ne lui plaisait pas que vous habitiez Hong-Kong, mais il s'y serait résigné.

— Eh bien ! ce ne sera pas nécessaire, dit sèchement Carolyne. Et ne parlez pas de ça à Hugh !

— Je n'ai pas l'intention d'écrire un article dans le journal, protesta Liz irritée. Franchement, Carolyne, vous êtes bizarre aujourd'hui ! Pourquoi cette histoire pour Mike ? Vous saviez bien qu'il partait !

— Naturellement, je le savais, dit Carolyne tristement. Je ferais mieux de manger mon œuf.

— Servez-vous. Mais je ne changerai pas de conversation. Cela ne vous a pas bouleversée d'apprendre que sa société achète Lyonsgate, je suppose ? J'en suis tellement heureuse pour Hugh !

— Moi aussi. Mais comment n'aurais-je pas été étonnée ? Je ne pensais pas que Mike fût un homme d'affaires ! Il avait l'air tellement décontracté..., l'air de se ficher de tout...

— Mike ? dit Liz avec stupeur. Vous ne l'avez guère observé ! Quand il veut faire quelque chose, il le fait. Sans hésitation. J'aime les hommes d'action comme lui.

— Ce n'est pas aussi drôle quand on est leur victime.

— L'êtes-vous ? demanda Liz doucement.

Carolyne leva les yeux un instant.

— Je n'avais pas l'intention de l'être. Après un jour ou deux, je n'ai pas pu m'en empêcher. Et maintenant, il est trop tard.

— Parce que vous êtes vraiment amoureuse de lui ?

Carolyne haussa les épaules.

— C'est trop tard parce qu'il est retourné à son Italienne aux cheveux rouges..., après une semaine de divertissements en Angleterre. Et il s'est si bien conduit tout le temps qu'il n'aura même pas à lui demander pardon !

Liz fronçait les sourcils.

— Voulez-vous dire que vous êtes dans cet état parce que vous supposez Mike épris d'une beauté italienne ?

— Une beauté italienne qui s'appelle Gina.

— Oh ! Seigneur ! dit Liz en se cramponnant à une colonne du lit. Ne vous a-t-il rien expliqué ?

Carolyne se frotta le front.

— Est-ce moi qui suis malade, ou vous ? Je ne comprends rien à ce que vous dites ! De quoi parlez-vous ?

— Je parle de la vie amoureuse italienne de Michael Evans, répliqua Liz en scandant les mots. Je ne sais pas quel nom stupide il vous a dit, mais le nom officiel est Ferrari. Il faisait allusion à sa magnifique voiture de sport rouge ! Il l'avait achetée à Naples pendant son voyage en Italie !

Carolyne avait l'air d'un hibou effaré.

— Vous blaguez ! souffla-t-elle enfin. Vous blaguez sûrement !

— Je ne blague pas quand une chose est importante. Pas un instant je n'ai pensé qu'il ne vous avait pas dit ce qu'il en était !

— Comment avez-vous su... ?

— Il avait une photo publicitaire dans son portefeuille. Elle a volé le jour où je lui ai emprunté de l'argent pour payer le laitier.

Elle rit.

— Vous connaissez les hommes ! Quand ils parlent voiture, ils sont intarissables ! J'ai cru que le laitier ne partirait jamais !

— Ce sale menteur ! gronda Carolyne.

— Qui ça ? Le laitier ? demanda Liz innocemment.

— Il m'a fait marcher tout le temps ! Il n'a même pas eu la décence de me dire la vérité !

— Hé là... un instant. Mike m'a expliqué ça. Quand il vous a secourue sur la route, il a pensé que vous vous sentiriez plus en sécurité s'il y avait une fiancée dans le tableau. Le premier nom qui lui soit venu à l'idée était Gina.

— Il a dû bien s'amuser de ma crédulité..., dit Carolyne amèrement. Mais pourquoi ne m'a-t-il rien dit par la suite ? A Lyonsgate, il n'était plus nécessaire de me rassurer !

— A ce moment-là, le seigneur du château avait paru. Mike a cru que vous étiez amoureuse d'Hugh.

— Je le lui ai fait croire pour me défendre de lui ! gémit la jeune fille. Que pouvais-je faire d'autre en pensant à Gina ?

Liz secoua la tête avec découragement.

— Je n'ai jamais vu deux individus réussir à ce point à tout embrouiller ! dit-elle.

Carolyne était bien de cet avis.

— Après vous avoir dit la vérité, Mike a dû penser que vous me la répéteriez...

— Et moi, j'étais sûre que cet idiot mettrait les choses au point lui-même ! Si j'avais réfléchi deux minutes, je me serais rappelé que les hommes ont horreur de donner des explications !

— Alors, comme je feignais de ne pas m'intéresser à lui, il a pensé que je l'envoyais promener. Oh ! Seigneur... !

Carolyne porta sa main à ses lèvres avec désespoir.

— Qu'y a-t-il encore ?

— Je viens de m'en souvenir... Il m'a embrassée dans la grotte... et j'ai été horrible ! C'est tout juste si je ne l'ai pas giflé !... je lui en ai dit de toutes les couleurs !

— Pas étonnant si le pauvre gars est parti ce matin sans crier gare !

Devant le visage désolé de Carolyne, Liz ajouta vivement :

— Ne vous tourmentez pas, mon chou. Maintenant, vous savez qu'il s'agissait d'un malentendu et
vous pouvez arranger les choses.

— Non, je ne peux pas ! Je ne peux pas pour-
suivre Mike parce qu'il m'a embrassée une fois !

— Ne faites pas l'idiote. Rappelez-vous qu'il
vous a ramenée ici deux fois serrée sur sa virile
poitrine. Un homme ne fait pas cela s'il n'éprouve
pas pour une femme autre chose qu'un intérêt passager.

— Il ne pouvait rien faire d'autre, dit Carolyne
consternée. Ici, on ne peut pas faire signe à une
voiture qui passe pour obtenir de l'aide.

Soudain, elle se rappela le terme tendre mur-
muré à son oreille quand Mike l'avait trouvée dans
le souterrain. « Cariad » était-il un mot qu'il aurait
prononcé pour n'importe quelle femme ?

Elle secoua nerveusement la tête. Elle aurait
voulu être délivrée du découragement qui s'abattait
sur elle. Pourquoi ne se sentait-elle qu'à demi
vivante, pourquoi pensait-elle que son existence était
à jamais ratée parce qu'un homme entre tous était
parti ?

Elle poussa un énorme soupir. Il fallait être raisonnable : elle ne pouvait pas courir après Mike
et lui demander s'il avait des intentions honnêtes
ou non. D'ailleurs, il était parti sans laisser d'adresse.
A moins que Liz ne fût en possession du renseigne-
ment... ?

Elle soupira de nouveau et se dit qu'elle ne risquait rien à poser la question.

Liz observait les émotions qui se succédaient sur
le visage de Carolyne. Elle aurait bien voulu lui
venir en aide.

Malheureusement, Mike avait l'air si désinvolte

en lui disant adieu qu'il était difficile de savoir ce qu'il pensait.

— ... alors, croyez-vous que c'est faisable, Liz ?

— Pardon ! dit Liz, revenant sur terre. J'étais distraite. Qu'est-ce qui serait faisable ?

— Serait-il convenable que je lui écrive un mot ?

— Convenable ? s'exclama Liz. Seigneur ! vous vous êtes trompée de génération ! Jamais vous n'aurez un homme de cette façon !

Carolyne rougit.

— Je ne veux pas lui tendre un piège ! dit-elle.

— Cela vaut mieux car vous n'en avez pas le temps.

— Ne va-t-il pas à Wimbledon ?

— Il a changé ses projets. Il prend le premier avion en partance pour New York. Le train spécial quitte la gare de Waterloo demain matin.

— Oh ! mon Dieu !

Carolyne retomba sur ses oreillers comme si on l'avait frappée.

— Alors il ne tient pas du tout à moi, dit-elle. Il s'est amusé, c'est tout.

— Je n'en suis pas si sûre, dit Liz. Au fait... j'oubliais : il a laissé quelque chose pour vous. Buvez une tasse de thé pendant que je vais le chercher dans ma chambre. Je l'avais mis dans ma valise, pensant que cela ne servirait à rien.

Les joues pâles de Carolyne reprirent un semblant de couleur.

— Attendez ! Ne filez pas comme ça avant de m'expliquer...

Liz n'hésita qu'à peine avant d'ouvrir la porte.

— J'en ai pour deux secondes. Et c'est probablement vous qui me donnerez les explications.

En fait, trois minutes passèrent sur la pendulette

posée sur la table de chevet avant que Liz ne revînt portant un paquet soigneusement enveloppé. Elle le mit entre les mains de Carolyne et la vit avec stupeur arracher l'emballage avec la hâte d'une enfant de six ans déballant un cadeau d'anniversaire.

— Liz ! Regardez ! Il a laissé la cuillère des amoureux !

Elle levait sur son amie des yeux brillants.

— Répétez-moi exactement ce qu'il a dit en vous remettant ça !

— Voyons... Mike m'a donné ce paquet à la dernière minute... Comme si l'idée lui en était venue tout à coup. Il ne m'a pas dit ce que c'était, il m'a seulement dit que si vous décidiez finalement de ne pas épouser Hugh, il aimerait que vous ayez cet objet.

Liz fronça les sourcils dans son effort de concentration.

— Il a dit... qu'il espérait que vous l'accrocheriez à la fenêtre.

— Il a vraiment dit ça ? C'est merveilleux ! Aidez-moi à sortir de là !

Carolyne était tellement exaltée qu'elle ne parvenait pas à repousser sa couverture d'une main tout en serrant dans l'autre sa précieuse cuillère.

— Il faut que je m'habille ! A quelle heure est le prochain train pour Londres ?

— Carolyne Drummond ! Rentrez dans ce lit immédiatement ! ordonna Liz. Vous ne remuerez pas un orteil avant que le médecin ne vous le permette. Et j'y tiens !

— Alors, il fera bien de se dépêcher ! déclara la jeune fille. Il faut que je sois à Londres demain matin, quand bien même je devrais y aller en pyjama !

— Avec la mode actuelle, vous ne surprendriez personne. Mais ne vous faites pas de bile, vous avez tout le temps. Le médecin va arriver et vous n'aurez probablement pas grand-peine à le convaincre. Déjà, vous n'êtes plus la même !

Ses yeux brillèrent malicieusement.

— Il doit y avoir de la magie attachée à cette cuillère des amoureux.

— C'est exact... à condition que ce soit la personne voulue qui vous l'offre.

Rayonnante, Carolyne retomba sur ses oreillers.

— Jamais je n'ai été aussi heureuse de toute ma vie ! dit-elle. Je crois que j'embrasserai le premier homme qui entrera !

— Voilà une belle résolution ! Attendez que je parle à Michael de cette réaction !

On frappa discrètement à la porte, puis après un instant, l'une des femmes de ménage passa la tête dans l'entrebâillement.

— Je vous demande pardon, Mademoiselle. Il y a dans le vestibule un monsieur qui voudrait vous voir.

Carolyne jeta à Liz un regard de défi.

— Je suis sûre que le médecin serait charmé si sa malade l'embrassait !

— Vous ne feriez pas ça ! dit Liz, affectant un ton sévère.

— Voulez-vous parier ?

La femme de ménage écoutait, les yeux ronds, ces propos légers. Elle avait peine à croire que cette vibrante jeune personne, dans le lit, fût la malade dont on lui avait parlé.

D'après les bruits qui couraient au village, la pauvre créature était à l'article de la mort après cette sale aventure dans le souterrain, pendant la nuit. Et voilà qu'elle était assise et qu'elle avait l'air gaie comme tout en blaguant avec Mme Sheppard !

Liz croisa les bras.

— Dix dollars américains que vous n'oserez pas !

— Cela me fait honte de vous ruiner, mais je tiens le pari !

Rieuse, Carolyne se tourna vers la femme de ménage.

— Voulez-vous demander au médecin de venir, s'il vous plaît ?

La femme se dirigea vers le couloir, puis s'arrêta d'un air gêné.

— C'est que... c'est pas le médecin, Mademoiselle ! C'est l'inspecteur de police !

Elle jeta un regard sur Liz.

— Faut-il aller le chercher, madame Sheppard ?

— Oui, bien sûr ! Amenez-nous l'inspecteur de police !

Liz, courbée en deux de rire, contemplait la mine allongée de Carolyne.

— Je ne manquerais pas ça pour un empire ! dit-elle.

CHAPITRE XII

... Elle en riait encore quand leur train entra dans Londres à la lumière grise du petit jour. Quand la sombre silhouette de la gare de Paddington devint visible, les deux voyageuses rassemblèrent leurs bagages.

— J'aurai besoin de ces dix dollars pour me remonter le moral, dit Liz. Si vous exigez encore que je prenne avec vous un train laitier pour Londres au milieu de la nuit, il faudra me ligoter et me bâillonner pour que j'accepte !

— Vous êtes un ange de m'avoir accompagnée, dit Carolyne.

Elle jeta par la fenêtre un regard anxieux.

— Je n'ai pas osé prendre un train plus tardif... Je ne savais pas que ce train-ci livrait partout les journaux en même temps que le lait !

Les deux femmes regrettaient de n'avoir pu admirer les paysages verdoyants qu'elles traversaient. Même les villes industrielles de Cardiff et de Swansea n'avaient été que des îlots de lumière derrière des gares désertes.

Quelques voyageurs descendaient et s'éloignaient en courant sur les quais pour disparaître dans la nuit. Les quelques êtres courageux qui montaient dans le train se blottissaient dans les angles des compartiments et somnolaient.

Carolyne crut que la nuit ne s'achèverait jamais, et en atteignant enfin Londres, elle fut horrifiée de l'heure tardive de leur arrivée.

— Je n'ai pas le temps d'aller m'arranger un peu dans un hôtel, dit-elle avec consternation en regardant sa montre. Si je trouve un taxi, il faut que je file directement à la gare de Waterloo. Dommage que nous n'ayons pas su où Mike était descendu : nous aurions pu lui envoyer un message.

Liz hocha la tête, tout en endossant son manteau de poil de chameau.

— Et si nous avions pu prendre un train plus tôt, nous n'aurions pas voyagé dans cette brouette ! C'est trop bête qu'il vous ait fallu attendre à Lyonsgate pour signer votre déposition à la police.

— Ce n'est la faute de personne. Quand Wynn Reese s'est décidé à manger le morceau et à nommer les autres membres de ce syndicat de contrebandiers, cela a tout retardé. L'inspecteur m'a expliqué qu'ils voulaient vérifier sa dernière déposition en la comparant à la mienne pour s'assurer que les faits marquants correspondaient. Sinon, on aurait continué à l'interroger.

— Je persiste à ne pas comprendre pourquoi vous avez si peu accusé Reese, dit Liz.

Carolyne tripotait le fermoir de son sac à main.

— C'est surtout à cause de madame Reese, dit-elle. Quand je l'ai vue au commissariat, la pauvre femme avait visiblement pleuré toute la nuit.

Le visage ordinairement jovial de Liz devint sévère.

— Je sais, dit-elle. On ne peut pas reprocher à

Hugh d'avoir voulu vendre le château de ses ancêtres ! Lyonsgate a vraiment l'air d'attirer le drame. Quel retour pour le pauvre garçon après ses années aux Indes !

— Bah ! Son séjour en Ecosse arrangera tout, dit Carolyne en souriant. Hugh m'a dit que Sylvia l'attend avec impatience ; j'ai toujours su qu'il prenait l'air beaucoup trop désinvolte à son sujet.

— Ils annonceront probablement leurs fiançailles le mois prochain, dit Liz. Maintenant qu'Hugh a vendu le château, il n'a plus à se faire de bile pour ses finances. Je suis contente qu'il vienne à Londres à la fin de la semaine : il pourra nous donner des nouvelles de sa vie sentimentale. Tâchez de décider Mike à décommander sa réservation sur le bateau et à rester encore un peu ici : c'est ridicule de se sauver comme ça !

— J'essaierai, soupira Carolyne, mais vous connaissez Mike : quand il s'est mis une idée dans la tête... Cette fois, je resterai accrochée à ses basques partout où il ira !...

Dans son sac, elle chercha la cuillère des amoureux.

— Je touche du bois, dit-elle. Encore faut-il que je le rattrape...

Liz se pencha pour regarder au travers d'une vitre crasseuse : le train entrait lentement en gare.

— Vous ferez bien de galoper pour trouver un taxi dès que ce maudit train s'arrêtera, dit-elle. Sinon, vous raterez le train du paquebot et vous finirez par louer un avion pour vous conduire à Southampton. Je ne sais pas comment j'indiquerais cette dépense sur notre note de frais !

— Et les bagages ? Vous ne vous en tirerez jamais seule !

— Quelle idée ! Si je ne suis pas capable de sortir seule d'une gare de Londres, je suis bonne pour l'asile de vieillards !

Elle saisit la poignée de la portière : le train s'arrêtait.

— Envoyez-moi un mot à l'hôtel quand vous saurez ce que votre homme a décidé, dit-elle. Et maintenant...

Elle fit glisser la porte vitrée qui donnait accès au couloir.

— Filez ! dit-elle.

Carolyne fila.

Elle galopa le long du quai presque désert et arriva devant la rangée de taxis en station sur le côté de la gare. Une voiture venait de déposer ses passagers : elle y sauta.

— La gare de Waterloo, vite, s'il vous plaît. Il faut que j'attrape le train spécial du bateau.

Le chauffeur jeta un coup d'œil sur l'horloge de la gare et secoua la tête d'un air dubitatif.

— Vous attendez le dernier moment, ma petite dame, dit-il. Heureusement, il n'y a guère de circulation.

Il démarra pratiquement sous le capot d'un véhicule qui arrivait et en obligea un autre à freiner à mort.

Carolyne frémit quand il accéléra dans la rue. Après cela, elle s'efforça de regarder ses pieds pendant le quart d'heure suivant. Quand le taxi passa à proximité de l'abbaye de Westminster, Big Ben commença à sonner l'heure.

Dans le rétroviseur, le chauffeur aperçut le regard anxieux de la jeune fille.

— Ne vous en faites pas, dit-il. Nous y serons dans une seconde.

Quand ils s'arrêtèrent enfin devant la gare, Carolyne avait à la main l'argent de la course. Dès que le taxi s'arrêta, elle le mit dans la main du chauffeur.

— Merci mille fois, dit-elle.

Il remercia d'un signe de tête.

— Par cette porte, ma petite dame... et foncez !

On aurait cru entendre Liz, pensa Carolyne en fonçant. Elle passa devant les porteurs avec leurs chariots, devant les voyageurs peu pressés qui prenaient un train plus tardif, devant la boutique de livres et de journaux, sans cesser de guetter l'écriteau qui annonçait le départ du train spécial. Enfin, elle l'aperçut et elle courut frénétiquement jusqu'au quai indiqué pour y arriver au moment où un employé commençait à fermer la barrière.

Il n'essaya pas de l'arrêter. Il l'encouragea du geste en criant :

— Montez dans le premier wagon après le fourgon : le train part ! Courez !

Elle courut.

Elle passa en trombe devant le fourgon à bagages et fit des gestes désespérés en direction d'un homme en uniforme qui, du marche-pied, faisait des signes au mécanicien. Il lui jeta un regard effaré, puis s'exclama :

— Par ici... Vite !

Elle s'arrêta devant lui, haletante ; il tendit une main et la hissa dans le wagon au moment précis où le train s'ébranlait.

— Ça va ? demanda-t-il.

Appuyée contre la paroi, elle était trop essoufflée pour répondre, mais elle sourit bravement et hocha la tête.

Il lui tapota amicalement l'épaule et ferma la portière : le convoi prenait de la vitesse.

— La prochaine fois, dit-il sagement, arrivez un peu plus tôt.

— Entendu, articula-t-elle. Merci de votre aide !

— Bah !... ce n'est rien. Savez-vous où est votre place réservée ?

— Quelqu'un m'attend, dit Carolyne.

— Alors, allez lui dire que vous êtes là, sans quoi il croira que vous avez manqué le train.

— Oui, j'y vais.

Une idée la frappa soudain.

— Comment savez-vous qu'il s'agit d' « il » ?

— Autrement, vous n'auriez pas couru si fort ! dit l'homme en ouvrant galamment la porte du couloir.

Carolyne saisit la barre d'appui qui courait le long des fenêtres ; le train sortait rapidement de la gare, les roues passaient bruyamment sur les aiguillages. Ses dents auraient fait exactement le même bruit si elle les avait laissé faire, pensa-t-elle.

Elle resta immobile un moment, rassemblant son courage pour commencer à parcourir le train et finalement affronter Mike.

Il est facile de courir après un homme quand on est à des milles de lui, mais tout à fait différent quand on se trouve nez à nez avec le personnage. Et cela pouvait arriver d'un instant à l'autre.

Elle remarqua que des regards curieux se fixaient sur elle, venant des gens du compartiment voisin, et elle se mit lentement en marche, examinant chaque compartiment au passage. Lorsqu'elle atteignit la fin du wagon sans avoir aperçu une silhouette familière et masculine, elle ne sut si elle en était déçue ou soulagée. Et si elle était dans le mauvais train ?

Elle secoua la tête. Impossible ! Liz ne se trompait jamais sur ces sortes de questions. Mike était *obligé* de se trouver dans ce train-là.

Finalement, à la fin du quatrième wagon, il s'y trouvait.

Carolyne resta, toute faible, dans le couloir, en croyant à peine ses yeux.

Le grand châssis de Mike était replié sur l'étroite banquette près de la fenêtre. De toute évidence, il était le seul occupant du compartiment car il avait négligemment jeté son pardessus et son porte-documents sur la banquette en face de lui.

Il y avait un journal de Londres sur ses genoux, mais ses mains restaient inertes sur les feuilles pliées.

En dépit de la vue sur la campagne suburbaine, son regard était fixé, sans la voir, sur la place de la banquette opposée.

Jamais Carolyne n'oublierait son expression : calme, résignée, et totalement désespérée.

Le sourire tremblant de la jeune fille reflétait une joie intérieure quand elle ouvrit son sac et en tira la cuillère des amoureux.

Mike était si profondément plongé dans ses préoccupations qu'il ne leva même pas la tête quand elle ouvrit la porte du compartiment et entra.

Il est difficile de parler quand on a une grosse boule dans la gorge : Carolyne y parvint cependant.

— Bonjour, dit-elle. Auriez-vous ici, par hasard, une fenêtre à laquelle je puisse accrocher ceci?

Elle tenait la cuillère devant elle comme la lance d'un croisé.

Il est miraculeux que cette cuillère de bois ait supporté sans dommage les minutes qui suivirent. Il y eut un instant de suspense... puis Mike bondit sur ses pieds et saisit la visiteuse en une étreinte qui menaça temporairement sa cage thoracique et la cuillère des amoureux.

Elle connut un instant d'inquiétude avant que les lèvres de Mike ne viennent prendre les siennes ; après cela, tout se fondit en une brume de délices.

Cela suffisait de se blottir plus près encore, de savourer, et d'espérer que jamais il ne relèverait la tête.

Lorsque finalement il le fit, elle découvrit qu'elle se cramponnait à ses épaules et qu'elle était aussi hors d'haleine qu'après sa récente course contre la montre.

— Je m'y habituerai sûrement, murmura-t-elle avec extase, mais vous produisez l'effet le plus fracassant sur mon système nerveux !

Elle sentit qu'il riait silencieusement. Puis il répondit :

— Quand nous serons mariés depuis assez de temps pour bien nous connaître, je vous expliquerai l'effet que vous avez sur le mien !

A cet instant, le mécanicien des chemins de fer britanniques décida de prendre un virage en pleine vitesse et ils furent précipités sur la banquette derrière eux.

— Je n'aurais pas mieux calculé ce moment moi-même ! dit Mike, resserrant son bras autour de la taille de la jeune fille.

De nouveau, d'un air résolu, il se pencha vers son visage.

— Un instant ! dit Carolyne.

Elle s'écarta d'un pouce environ et constata avec satisfaction que l'étreinte ne se relâchait pas.

— Mike, avez-vous de l'argent ?

Il la regarda avec amusement.

— Ma foi... j'ai une bonne situation et quelques économies cachées dans mon matelas, chez moi. Pourquoi ? Faut-il que j'envoie un rapport sur l'état de mes finances à votre famille ?

— Idiot ! s'exclama-t-elle. Je parle d'argent pour tout de suite ! Je suis montée dans ce train sans billet et je doute que le contrôleur accepte un chèque de voyage.

— Je vous promets que je ne le laisserai pas vous jeter dehors avant que le train ne ralentisse beaucoup à un passage à niveau ! répliqua Mike d'un ton solennel.

Son regard s'assombrit. Il continua d'une voix sourde :

— J'avais perdu tout espoir. Tout le temps que le train est resté en gare, je surveillais le quai...

Il fit une grimace embarrassée.

— Je ne pouvais pas croire que vous ne finiriez pas par venir... Cela me semblait impossible. Puis quand le train s'est mis en marche, j'ai compris que j'avais été le dernier des imbéciles.

Carolyne posa sa tête contre la chaleur d'une mâle épaule.

— Et vous n'alliez rien faire ? demanda-t-elle.

Il posa un baiser sur son front.

— J'ai décidé de retourner à Lyonsgate à mon arrivée à Southampton aujourd'hui, dit-il. Il fallait que je sois sûr que vous alliez épouser Hugh. Je ne pouvais pas partir sans certitude.

Il la serra plus étroitement.

— Et cette fois, j'étais décidé à vous faire entendre tout ce que je pensais !

— Je l'espère bien ! dit Carolyne en relevant brusquement la tête avec indignation. Comment dia-

ble vouliez-vous que je me conduise quand je vous
croyais fiancé avec une rousse plantureuse ?

— Seigneur ! Voulez-vous dire que vous ne
saviez pas ce qu'il en était ?

— Je n'ai rien su avant hier. Et vous étiez parti.

La voix de Carolyne s'adoucit. Du bout du doigt,
elle dessina le contour de la bouche de Mike.

— Liz croyait que vous m'aviez tout expliqué.
C'est bien fait pour vous ! Inventer des fiancées
comme ça ! Mais maintenant, si vous êtes tenté de
recueillir une autre femme sur la route, vous pourrez lui dire que vous êtes fiancé avec une blonde
fadasse au caractère de cochon !

— A ce moment-là, rectifia Mike, je lui dirai
que je suis marié avec la ravissante blonde qui est
assise à côté de moi, avec le plus jeune de nos six
enfants sur les genoux.

— Six ?

— Sept si vous insistez, dit l'Américain géné-
reusement. Je pensais seulement à l'explosion démo-
graphique.

La jeune fille pouffa de rire.

— Après tout, vous feriez mieux d'écrire ce rapport sur l'état de vos finances ! dit-elle.

— Femme vénale !

La sévérité du ton fut tempérée par un baiser
sur l'oreille. De nouveau, Carolyne nicha sa tête
contre l'épaule de Mike.

— Quel genre de meubles avez-vous dans votre
maison ? demanda-t-elle.

— Dans mon appartement, rectifia-t-il distraitement. Plutôt moderne, je crois. Pourquoi ?

— Parce que j'ai demandé à Hugh de garder
Nounours pour nous. J'espère qu'il s'intégrera dans
le décor.

Mike se demanda quel genre de décor conviendrait exactement à ce tapis mangé aux mites, mais il trouva aussitôt la réponse.

— Il sera pratique pendant les longues nuits d'hiver ! dit-il.

— Devant un feu ronflant dans notre cheminée.

Carolyne frissonna sous la caresse des lèvres de Mike le long de sa joue.

— Oh ! Mike ! dit-elle. Je vous aime tellement !

— C'est votre devoir élémentaire !

La plaisanterie ne s'accordait guère avec la voix soudain changée. Mike releva vers le sien le visage de Carolyne.

— Mais rappelez-vous une chose, ma chérie : chez nous, cette fichue peau d'ours restera par terre ! Nous n'aurons plus besoin de son secours !

— Et ce sera très bien comme ça..., dit-elle.

La bouche de Mike interrompit toute conversation.

Quand le contrôleur vint réclamer les billets, un regard sur ces voyageurs le fit rougir jusqu'aux oreilles. Il valait mieux, décida-t-il, revenir plus tard à ce compartiment-là.

Au-dessus de leurs têtes, une affiche publicitaire proclamait :

« Visitez l'amicale Angleterre. »

Le contrôleur adressa un clin d'œil solennel à l'affiche, soupira avec envie, et s'éloigna discrètement dans le couloir.

FIN

Achevé d'imprimer
le 12 décembre 1979
sur les presses
de l'imprimerie Cino del Duca,
18, rue de Folin, à Biarritz.
N° 602.

Dépôt légal n° 400.   1ᵉʳ trimestre 1980.